凱信企管

用對的方法充實自己，
讓人生變得更美好！

凱信企管

用對的方法充實自己，
讓人生變得更美好！

畢業5年
決定你的一生
學校只讓你「畢業」，
卻沒教你如何「就業」！
帶領你衝破謀職難關，
打破「畢業等於失業」的迷思
暢銷
修訂版

目錄 content

黃金課程第3堂 職場學習藝術

你懂得做一塊吸水的海綿嗎？

黃金課程第4堂 成功方程式

成功也能從山寨複製開始

黃金課程第5堂 時間管理法／工作法

成功者，趁著別人睡著時往上爬

黃金課程第6堂 人脈拓展術

在職場上，人脈等於你的錢脈

後記：前輩不會告訴你的職場生存技巧

黃金課程第7堂 心態修煉術——態度，決定你的高度

黃金課程第8堂 逆境生存法則——衝勁十足的噴射機，也是靠著逆風而行才能順利起飛

名人推薦序
只要你想要，沒有做不到！

律師應該是很多人羨慕的行業，古早有句話說「第一賣冰，第二做醫生」，照這樣算起來，律師應該可以排第三。但是，當上律師就一輩子妥當了嗎？這幾年律師錄取率大幅上升，導致了「流浪律師」的出現，聽起來很熟悉齁？因為之前還有「流浪教師」這個名詞，而醫生自從健保實施之後，收入也大不如前。其他師字輩的，包括律師、醫師、老師都要「剉咧等」，這顯然已經是各行各業普遍的現象，學校教我們的知識已經遠遠不足面對新的競爭，畢業5年做了什麼，會決定往後的一生。

像我自己，早早就找到自己的興趣，運用法律專業投入不動產領域，從買賣房屋、簽租約甚至修繕，我通通可以一條龍包辦，像一塊海綿一樣邊做邊學。累積了豐富的經驗之後，受邀上電視分享、出書、到處演講、開課。站在上千人面前演講的那個人是我，替房客修理馬桶水箱零件的也是我，對我而言，沒有什麼是不可能的事，別人不會做的或者不願意做的，就是你的競爭力。

看到這本書，不禁嘴角微微上翹，會心一笑，那是一種英雄所見略同的感受。沒錯，我從法律本業走出來，憑藉的就是這八個關鍵啊！成功是可以複製的，別人睡覺的時候我們可以努力的往上爬，改變人生，就從這本書開始。

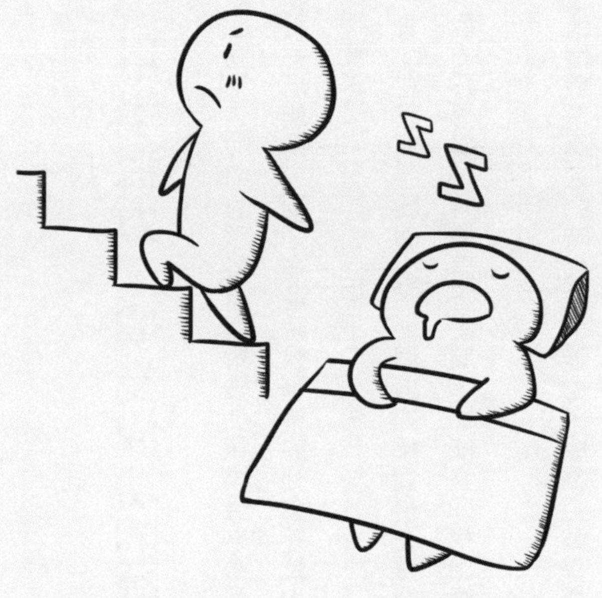

包租公律師　蔡志雄

名人推薦序
善用學習力，成為成功的轉接器

最近幾年，就業的形勢漸趨嚴峻，職場競爭激烈，失業潮讓許多沒有為自己人生規劃的人感到手足無措。剛好在這時候畢業的社會新鮮人，將面臨比以往更多的考驗，需要具備更多特質來應對整體職場環境的需求。

其實，在我的經驗看來，一個人如果懂得在畢業後的幾年內，好好地經營自己，保持不斷學習的好習慣，時機再怎麼壞，都能立即找出應對措施。而不是僵在原地，讓黃金時期「卡」在這個階段中不上不下。

在這個競爭激烈的時代，「能力」成為企業抉擇人才時的重要關鍵，而「能力」指的不只是工作方面的技能，還包含學習能力、溝通能力、合作能力、情緒控管能力、人際關係的經營能力……等，不只橫向累積，更要縱向發展。正如本書中提到的：每一個行業，都是一所學校；每一份工作，都是一堂課。進入各個職場的人們，就像進入了一個修煉場，讓自己在大環境中具備企業所需的十八般武藝。而，在這幾種能力當中，「學習力」是我認為最為重要的特質。

用人的時候，學歷和經驗都不是首要的考量，一定要記得，擁有學習的意願和學習的能力，才是最重要的。早年剛創業時，我也曾經陷入「高學歷，高能力」的迷思，招募員工時，一定先將求職條件設定在「至少國立大學畢業」，能夠通過這關的，才可能請對方來面試。「收集」到最後，我的員工之中幾乎全都是高學歷人士，這讓我非常得意。然而，過了一段時間之後，才發現光有高學歷是不夠的。

在這群高學歷的員工之中，約有半數的人自持有著高學歷的光環，自視甚高，所以可以說在進入公司之後，便停止了學習，關於市場的現況更沒有進一步了解，甚至是在行銷之中最基本的溝通技巧，他們也從來不會主動去學習和精進，漸漸地，交付給他們的工作，都沒有辦法達到我的預期，於是，人才變成了廢才，白白浪費了彼此的時間。

企業需求的人才標準會一直隨大環境變遷，想要成為搶手的人才，就要讓自己的「學習力」不斷進化。停止學習會讓人失去競爭力，並且會讓自己侷限在框架中無法前進。懂得學習的人，能夠不斷開發充滿潛能的自己，把「不可能」轉變成「無限可能」，所以「學習力」是個人生涯中很重要的轉接器，改變會從這一步開始。

在本書中，提供社會新鮮人在職場上所需具備的基礎功，只有根基打好了，未來才能夠開花結果。黃金時期的黃金八堂課，只要你願意學習，懂得在畢業後的這段關鍵時期經營好自己，那麼，就能夠在將來的人生中實現你的願望！

凱信企業集團董事長

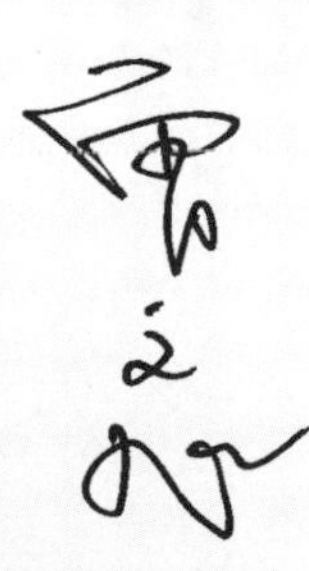

編者序「找到自己」是你現在最該做的事！

畢業後的第一個五年，也可以說是每一個年輕人最關鍵的五年，這個階段是人生投入職場生涯的起步點，是職業生涯打基礎的時期，也是孔子所說的而立之年。年輕人如果在職業生涯中有一個良好的開端，能夠規劃自己的人生，就不會在生活上亂了腳步，也不會感到人生渺茫、彷徨、無奈與無助而浪費掉青春。

在職場競爭激烈的現代，一個沒有生涯規劃的人生，就像是一輛汽車沒有發動機一樣，不是被人推著走，那就只能順著下坡路走了。三十歲是一個人生的分水嶺：二十幾歲我們散發著青春的激情；三十歲我們的思想逐漸變得成熟務實。三十歲的我們往往承受生活和工作的壓力，如果沒有做好人生規劃，必會讓人覺得茫然、失落與無助。

兩千多年前，孔子便這樣說道：「三十而立，四十不惑，五十而知天命……。」三十而立之說便成為自己是成功或者平庸一個非常重要的衡量尺度。看看周遭許多朋友都已三十多歲，卻還說自己一事無成，真讓人感慨不已！然而三十而立是沒有固定標準的。有人事業令人羨慕，但感情卻一團糟；有的上班族雖然薪水不高，但是他卻非常喜愛自己的工作……，這都端賴自己對自己的定位與認知，「找到自己」才是你要做的、你該做的。所以畢業後的這五年將會是你人生中關鍵的五年。

誠如作者所言：「畢業後這五年，大部分年輕人會經歷人生兩個最重要的轉折與選擇：從畢業到就業，從校園到社會，尋找工作；從單身到結婚，從個人到多人，建立家庭。人生面對轉折與選擇時就會困惑，那麼如何解答這些困惑，完全靠自己。人生越早改變，就越容易改變。這幾年培養起來的心智成長度和心靈成熟度，將會影響到你未來的二十年、三十年甚至一輩子的命運。」畢業後這五年對一個年輕人來說影響重大。很多社會上的成功人士，都是在畢業這五年內做了正確的規劃，培養了正確的思維模式和行為方式，進而比別人更好、更快地走向成功的。

每一個人在擬訂自己的生涯計畫之前，先要做好自我的評估、自我的認識、自我的瞭解。知道自己的興趣與專長，知道自己想做什麼、能做什麼、應該做什麼，這樣評估之後所做的生涯規劃才是最適合自己的。要記住，別人的成功模式不一定適合自己，別人的成功經驗可以學習，但很難直接套用，必須經過吸收才是最適合自己的。不必跟別人比較誰賺的錢多，誰更有地位，而是要跟昨天的自己比較，我今天夠努力嗎？我夠用功嗎？這樣才能找到屬於自己的成功。

三十歲以上的你，是否感到一事無成？作者在書中所陳述的職業規劃與人生設計，可以給還在人生道路上迷茫探索著的人一個很好的指引。

在這裡，要重複作者對年輕人所提的忠告：

畢業後這五年你要是不「成熟」，就要一輩子都「勞碌」！

自序
三十歲前的「磨難」，可以避免四十歲後的「災難」

請想像一下，五年、十年之後，甚至三十年之後的同學會上，坐在你左邊的同學是懷才不遇的小公司職員，右邊的同學則是上市公司的總裁，那時你會在哪裡呢？

「為什麼同樣是大學畢業，但五年甚至更久之後，各自創造出的人生風景卻是如此不同？」這是我期待各位在閱讀本書之前，可以加以思索的問題。

其實，這個問題的關鍵點在於，畢業後的這五年你是怎麼度過的？

依照我個人的經歷以及多年來對企業人才的案例研究發現，畢業這五年對一個人的職業生涯甚至整個人生具有重大的影響。那些成功的人士，無不是在畢業這五年裡做了正確的規劃，培養了正確的思維模式和行為方式，從而比別人更好、更快地走向成功，這跟心態建設、能力錘煉、性格鑄造、習慣培養等都不無關係。

人的一輩子，前二十年未成熟，基本上命運的選擇權掌握在父母手裡；後二十年已衰老，基本上是依靠子女或社會；三十歲到五十歲，處於中年時期，可謂「刀槍不入」，價值觀基本上已經定型。而三十歲之前的幾年，也就是大約畢業後五年的這段時間，你漸漸能掌握選擇權與發言權，開始擁有屬於自己的時間與空間，這個時期的你，剛從校園踏入全新的世界——職場，自此工作成為你生活的重心，透過工作獲得的成就以及鍛鍊出的能力和性格，將大大地影響未來的幾十年。

在這關鍵的五年裡，「自我定位」很重要，一個人只有找對了方向，才能夠順利地達成目標；「信心」的建立很重要，一個人再有能力，如果對自己沒有信心、只會畫地自限，那麼能力便無法發揮；「持續學習」很重要，因為進了職場後，想保持自己的競爭力，便不能不學習；「人脈」很重要，認識對的人，通常能夠讓你更快實現夢想；「時間管理」很重要，能夠有效運用時間的人才能獲致最大的成功。

因此，在本書中，我為各位設計了畢業後這五年中所必須修習的八大黃金課堂，與各位分享如何自我定位、建立自信、拓展人脈、做好時間管理、學習成功人士的成功法則、自我充電、具備良好的心態，希望能夠協助各位在這關鍵的五年裡，有效地提升自我的能力。

前陣子，我跟一位中年的女性朋友聊起我正在寫的這本書時，她一聽，就開玩笑說：「哎呀！那我這一生不就完了！」我趕緊向她解釋：「哈哈！不會，只要妳醒悟得早，人生永遠沒有定論。」

畢業五年決定你的一生，不是說這五年過了，你的人生就定型了。我想表達的是，在這五年裡，你的心態和自我經營的方式，會影響到你以後的人生路途。

當然，也許會有人說：「現在很多人三十歲都還在讀書呢！」或者說：「現在不少人三十歲還一事無成呢！」以前說三十而立，而現在很多人真正的開始是四十歲。這麼說給人一種憂鬱的感覺，是不是人生就沒希望了？不是的，只是，人生越早改變，就越容易改變！相較之下，二十五歲到三十歲這五年，比三十歲到三十五歲這五年來得重要。如果你想讓你的人生等到三十五歲再來改變，就相對晚了一些。

我相信，每位大學畢業後的年輕人，都有各自的野心和抱負，都想實現自己人生的價值。那麼，畢業後的這五年，就為你提供了實現人生價值的空間與時間。請好好把握這五年，因為人生上半場絕對會比你想像中結束得早！

最後，在開始正式閱讀本書之前，我有一句話想與你分享：

畢業後的五年多經歷些「磨難」，將來就可以少遭遇一點「災難」！

作者

林少波

全新企劃！

畢業後的多重選擇題：我的方向，我決定！

畢業後，
你想怎麼啟程呢？

關於旅行，有的人，只要有一張機票就可以出發；有的人，需要將行程細項規劃，再一絲不苟地按表操課。

有的人，喜歡冒險，總要到鮮有人跡的地方測試自己的能耐；有的人，追求穩定，只喜歡到離家不會太遠的地方散散心。

決定本身並沒有對錯，只要你能甘之如飴、用心體會，那麼旅途中所遇見的事物，都能成為你的養分，滋養你往後的人生。青年們！祝你們一帆風順！

01 國內研究所

蟄伏是為了精進專業

現今的社會廣設大學，美其名是為了落實教育平權，但其實這樣的現象，不僅扼殺了許多原來可以在技職領域發光發熱的人才，也連帶地使「大學畢業生」這個頭銜失去了競爭力，因此，越來越多人會選擇在取得學士學位後，繼續考取研究所深造。

終於有勇氣轉換跑道，那就全力衝刺吧！

長久觀察下來，我發現某些年輕人會有一個通病，那就是在選擇大學科系時，往往依父母的建議或喜好為重；有的，是因為自己一直在念書應付考試，沒什麼生活體驗，更沒什麼個人興趣可言，所以自己也無從選擇，而另外一種，則是因為「太乖巧」而忽略自己選擇的權利。

這兩種學生，往往都會在大學時期感覺到：「上課好像是浪費時間？」或是「我明明可以去做更喜歡的事情的……」畢業後，這樣的糾結釋放了，但同時他們也必須去正視一個重要的問題，那就是：自己究竟該不該重新投入喜愛的領域從頭學起呢？

小芬是我朋友的一個同學，她們大學念的是商科，但據說小芬一直對現況不甚滿意。原來，她當時最有興趣的科系是室內設計，但是以此著名的學校不僅離家遠，念設計又要花家裡一筆錢，於是她的父母便好說歹說、軟硬兼施地叫她填選商學院，以後也比較好找工作。

不久，小芬的不適應卻在第一次期中考的成績上明顯地反映出來，但是已經交到一群好朋友，也融入校園生活的她也不想就這樣轉換環境，她除了在心裡偷偷的埋怨父母之外，也安慰著自己：沒關係的！等四年畢業後，我再去考取設計類的研究所就好。

為了這個夢想，小芬在大學的四年間努力地打工存錢，也到室內設計事務所一邊工讀，一邊了解業界實務；果然，就在畢業前夕，我就從朋友處得知小芬考取了知名大學設計學院的消息，之後她當然也用無比的熱忱投入了職場，這都要歸功於她對自己興趣的覺察，與勇於改變的心態。

盲目跟從，只會更快喪失目標

雖然說現在擁有大學學歷的人滿街跑，但這可不代表念研究所也會是件輕鬆的事。為了應付研究所繁重的課業與論文，學生需要具備的能力有很多，例如：更好的自制力、資料統整與分析的能力、與研究室同儕的人際相處能力、高ＥＱ、注意細節的洞察力等等。而若是成為教授的研究助理，還需要同時進行策劃研討會，或準備教授個人的學術研究資料……，這些繁雜的事項很可能只換來少少的薪水，所以你更需要學會「吃苦當吃補」的

樂觀與毅力。

所以，如果你抱持著「不想這麼早面對現實壓力」、「同學都去考了所以我也去考」、「跟朋友家人賭一口氣」，或是「學歷高一點聽起來比較厲害」的心態，我真的不是很建議你們走進學術領域的窄門。

阿傑是我大學時期的同學，當我們大三時，他就成天跟我們說他要考什麼樣的研究所，將來出國再念個博士，如此回來台灣找工作一定無往不利。但了解他個性的幾個哥兒們都紛紛勸他：「你確定你要考研究所？可是光是準備個期末考，你就會連續失眠好幾天，還壓力大到捶牆壁耶！」朋友甲說。「嗯……而且我覺得你的強項在實務操作，真要叫你寫論文，你應該會瘋掉。」坐在一旁的朋友乙也說出他的看法。

不過大家也知道，阿傑是個標準的「權威崇拜者」，只要是頭銜高、輩分高或是有名的人說的話，都可以讓他他奉為圭臬並深信不疑，因此他認為「學歷代表一切」的想法，我們也不是不能理解，只是難免為他感到擔心和惋惜。

畢業後的同學聚會，阿傑都沒有出現過，直到第四年的同學會上，一位跟他考上同一所學校的同學才告訴我們，原來阿傑的研究生時期每天都過得水深火熱，直到現在還交不出他的畢業論文，不僅無法完成自己的學業，連社會經歷都平白比同期的同學們少了好幾年，像他這樣為了頭銜而唸書，真的非常不值得。

俗話說：「鮮花擺在合適的地方，才能發出最吸引人的芳香。任何事物都應該出現在它應當出現的地方，才能最大地發揮它的作用。」擁有較高的學歷雖然在學識上是好事，但如果不是以正確的心態去達成這個目標，畢業後的你，將會面臨到現實社會與理想更殘酷的差距。

有研究顯示，碩士畢業生的平均起薪只會比大學畢業生多3000~5000，但是仔細想想，以唸研究所的兩年時間投入職場，真的連3000~5000的加薪都得不到嗎？當然，這個問題的答案還是要取決於每個人對工作的盡心程度，不過，這個薪資的矛盾點也讓我們看到了社會上真實存在的問題——許多企業主只想著如何用最少的錢，請到一個堪用的人。因此，如果你在畢業後繼續深造單純是為了別人的眼光，真正進入社會後，你可能還須為當初自己的剛強氣盛付出好些代價。

晚一步出發，有好有壞

念了研究所，不管有沒有從中獲得希望獲得的東西，但念書的最終目的是要「用」，終究還是要回歸到經濟面來討論，而事實上，你與同期畢業的人相比，的確就是硬生生少了兩到三年的社會經歷，這會帶給來什麼樣的影響呢？

我工作的時候，就曾看過一些在理論與概念上非常優秀的碩士畢業生，若他們的心態不夠柔軟，就會忘記自己在「實務」上還算是個什麼都不懂的新人，很容易跟學歷不如自己的同事起衝突，或是接受不了自己辛苦多念了幾年書，竟只換得比其他人多幾千元的薪資。面對這樣的情況，他們有的人會選擇以出國念書來逃避進入職場的現實，而有的，

就是不屑從基層做起，但公司卻也不可能讓沒有經驗的新人一下子就當主管；如此眼高手低，雖有一身好本事也無從發揮。

我也看過一些較正向、樂觀的碩士畢業生，他們深知自己的定位在於「專業能力充足，但卻乏實務經驗」，所以願意先跟職場妥協，拿自己期望值以下的薪水、做較無挑戰性的工作。但是真正的鑽石即使藏在暗處，也一樣能閃耀奪目；他們本來就有學識、有能力，所以當有了一些社會歷練，他們往往就比大學畢業生更具備了跟老闆談薪水的條件，經過前期的蟄伏，終於在展現出了事業上的飛躍性。

由此看來，念不念研究所是一個重要的決定，而念完研究所的自己打算用什麼定位投入職場，也同樣是一個嚴肅的問題；它們的答案將會左右你畢業五年後的人生，所以不可不慎。

02 國外留學&遊學

踏出舒適圈，讓眼界更開闊

在台灣的學習告一段落，如果沒有經濟壓力，我相信許多學子都多少嚮往著國外留學與遊學的生活。在一個截然不同的環境裡，親身體驗文化跟文化的碰撞，還有很多特別的突發狀況會逼得你變成熟；同時，你也必須不斷讓自己的心態歸零，因為許多事情不能再單純以台灣的思維去處理，走向國際，你一定可以發現全新的自己。

容易亂飛的風箏，要隨時留著一隻可以抓住你的手

自由與放縱，其實是一體兩面的。當自由沒有了目標、沒有了自制，就很容易淪為隨心所欲的放縱，例如今天沒人叫就不想起床，乾脆一整天就翹課賴在家裡；沒人管，就把自己的感情生活搞得一團亂……等等，這些情況都很可能發生在出國念書的學子身上。天高皇帝遠，又有太多新奇的誘惑，所以若你本身就是一個不太有自制力的人，我會建議你頂多出國旅遊一趟就好。

有一個年輕人，因為家境不錯，所以畢業後，便被家人送出國念與商業管理有關的課程。他的父母忙著管理自家公司，每天都很忙碌，所以信任孩子的他們也就不太過問兒子在國外的學習狀況。

誰知道，原本兩到三年就可以完成的碩士學業，年輕人卻念了四年還沒念完，他的爸爸總覺

得有什麼不對勁，這才偷偷地到他外宿的地址，準備來個「突襲檢查」！爸爸在門前等了又等，兒子卻一直到凌晨四、五點才出現，他搭著朋友的車回來，滿身酒氣，衣服也凌亂不堪。

兒子看到了門前的父親，酒意瞬間醒了一半；他別過頭，不敢直視父親的眼睛。爸爸一看兒子閃爍的眼神便知道事有蹊蹺，追問之下，才知道原來兒子被太過自由的生活沖昏了頭，除了視當天心情決定要不要翹課，又剛好在打工時認識了一些愛玩的朋友，不小心就疏忽了課業，等他回過神來，就接到了學校的退學處分單。他不敢將這件事告訴家裡，於是就以能瞞多久是多久的心態打著緩兵之計，直到今天爸爸擔心地跑來，兒子念了四年還沒畢業的原因才終於真相大白。

自由，是能夠獨當一面、能夠全權為自己作主與負責，同時也是一個有自我管理能力的人才可以完全享有的權利。

從特別的經歷中，提煉出你需要的養分

以代理國外精品服飾起家的某電子商務老闆，就曾經跟我分享過自己在國外深造時的情形。

她的家境並不算很好，所以她在大學時期就開始了半工半讀的生活，畢業後想出國，當然也不敢拿家裡的錢，所以她想到了一個方法——爭取獎學金。

於是，她便開始搜尋有關的資訊，並只申請有提供獎學金的學校。在一番努力後，她順利地拿到了一筆錢，足夠她支付大部分的學費；而因為她此番能夠出國，完全是靠自己的堅持與努力，她也更加珍惜這次的機會，不僅在課業上專注學習，也盡量在課餘時間參加當地志工團體或打工，讓自己真正深入當地文化。

這樣的過程成為了她的養分，同時自由、開放、彈性、創意的思維也在她的腦海裡扎根，無形中成為了她回台開店時不可或缺的動力。

有趣的是，她竟然還在自己租的那棟公寓，認識了一個同樣來自台灣的男孩，他們一同度過了旅外的各種風雨和難關，最後，這個男孩成為了她的丈夫。

在國外學習的經驗固然美好，但是也有艱辛的一面，尤其有些國家還會限制外國留學生的打工時數，生活費不足，過得非常克難又不敢跟家裡要錢的留學生一點也不少；而因為文化風氣相對開放，不小心把自由當隨便的留學生也是有的，他們不僅為家裡增加了許多經濟上的負擔，也無法為自己的履歷加分，幾年就這樣過去了，卻還一事無成。

「留學」本身雖然有光鮮亮麗的外衣，許多知名企業主也的確愛用喝過「洋墨水」的人才，可是前提是你的骨子裡，必須對自己的目標很明確，也必須懷著一顆多元、包容的心去接受異地文化，並將這份得來不易的經歷化做供給生命成長的養分，如此你才能有所獲得，這段歲月對你來說也才算無憾。

03 進修專業技能

快速成為炙手可熱的人才

在學校中，我們大多只能學習到理論方法，而學不到企業真正需要的實作能力，因此，有越來越多的學生會選擇在畢業前後，開始幫自己規劃校外的實務課程，雖然必須多增加一點金錢的開銷，但如果將它視為讓你更有競爭力的職場敲門磚，也算是非常值得！

看似用不到的軟實力，正等著硬實力的加持一鳴驚人

美國一位知名作家曾說：「吸引好運的人，身上總是攜帶著『準備就緒』磁鐵。」當你對夢想和目標有所準備，而不是等著天降好運，那麼成功的大門必定就在前方不遠處。

偉強是一個念中文系的學生，在別人眼中，文科出身好像就跟工作難找劃上了等號，為此他也不斷地思索，究竟有什麼好方法能讓他發揮所學，又能展現出自己與其他同學的不同。

畢業以後，偉強拿著大學時期打工攢來的積蓄，先是到進修推廣部學習行銷企劃相關課程，並考取了國際版證照，再到坊間補習班加強美編、文書軟體的進階技能，期間他也利用瑣碎的時間打工，一年的時間很快就過了。

偉強本身即具有相當優秀的文字敏感度，又因為證照與軟體技能的加持，果然在打開網路

履歷的短短一個星期內，便接到了許多廣告公司的面試邀請，他成功地跳脫單一專業的框架，透過對業界供需的觀察，將自己培養成了複合式的人才，擺脫了他人眼中「中文系就是賺不多」的既定印象。

我的一位前輩曾這麼告誡自己的孩子：「再冷門的領域，只要你成為佼佼者，永遠都會是炙手可熱的人才。」這句話說的一點都不錯，因為既然科系設立，職場上就必定有關於這個專業的需求，而需求的多寡，才是構成一般人眼中「熱門」或「冷門」的關鍵。

以偉強的例子來說，很多人就忽略了語文能力在社會中是多麼重要的存在，人與人的相處需要語言、文化的傳承需要文字，而商業談判在某種方面來說，更算是語文與邏輯並存的攻防戰……試想，若一個音樂人文字能力很差，他就少了填詞的本事；若一個經理人拙於言辭，他就難以代表公司對外的形象。

因此，剛剛畢業的你千萬別為了自己的科系而畫地自限，對自己的專業充滿想像並付諸行動，才是成為「優秀菜鳥」的第一步。

進修首重目標的確立，切忌亂槍打鳥

進修的目的，短期來說是為了在自己喜歡的專業領域更加精進，除了獲得知識的喜悅之外，也能擁有更多被企業主青睞的機會。

但就我所知，許多剛畢業的學生或許是對未知的職場太過不安，或是特別倚賴證照

的加持，所以常常亂槍打鳥、囫圇吞棗，一看到免費課程就去上，殊不知短短一天的體驗營，寫在履歷上實在沒什麼效果；或是瘋狂報名大小證照考試，結果不但沒有為自己大學時期的專業能力加到分，反而還起了減分的效果。

我曾經輔導過一個學生，她畢業了兩年，卻一直找不到令人滿意的正職工作，在心煩意亂之下才找到了我，希望我能為她挫折不斷的求職人生解惑。

「我真的很努力地尋找為自己加分的方法，但是好像都沒有什麼效果……」她開口便跟我抱怨。

她的履歷攤開在桌上，我看到上面琳瑯滿目的證照，略帶驚訝的問：「妳才畢業兩年，就考了這麼多試啊？」

才一談到證照，她的眼神馬上就亮了起來，開始自信地跟我介紹她的考照心路歷程：「對啊！我有一次偶然在人力銀行上面看到大廈專業管理人員的薪水很高，所以就去考了總幹事的證照；然後聽說現在很多行政人員都要會基本的修圖或美編技術，所以就去參加了專業修圖軟體的培訓；還有啊，像那張會計初級證照，是我覺得如果有機會參與到公司帳務時可以用到……」

我不禁打斷她的話，「可是……妳本身在大學的時候是學動畫製作的，而妳學的這些東西，好像大部分跟本科沒有什麼關係，還是說，妳其實不喜歡做動畫？」

「不，我非常喜歡動畫！」她說。

「嗯……可是妳在這兩年之內都將眼光放在別的地方，我擔心妳是不是已經將本科系的技術忘得差不多了。」

她聽完我的話愣了一下，接著低下頭回答：「嗯，的確是這樣沒錯。但是我以為履歷表上有很多證照資格比較好看，人家也才比較會注意到我；結果現在才發現，因為太久沒有碰動畫軟體，按鍵、指令什麼的，真的都快忘記了。」

因為對畢業後的社會感到不安，急著證明自己的能力，這就是一個「病急亂投醫」的典型案例。

進修，可以做為精進人生的長期規劃

有一句我們從小就聽過的話：「活到老，學到老。」可以為進修做一個很好的註解。剛出社會的時候，我們的進修必須要可以應付即將到來的經濟壓力，必須是為培養短期內會運用到的技能來做規劃；有的學生，甚至在大學時期便了解了這個道理，而他也有餘裕去實行，所以剛畢業時交出去的履歷，就是比較容易被看見。

雖然專業領域的東西永遠學不完，但隨著我們年紀漸長，也有不少人會開始學習真正能讓自己「快樂」的事物。這時候的進修，是為了充實自己的內心，少了功利的目的性，學習的心態上當然也就輕鬆愉快許多，也許，還可以從中發掘自己事業的第二春，轉換跑道讓生活更富挑戰，更加精彩。

由此可見，如果你是個對萬事都充滿著好奇心和求知欲的人，要隨心所欲地學習，還是要等工作先穩定會比較好。

04 大公司&小公司

職場第二年，你會成為什麼樣子？

應該先到大公司學習制度，還是到小公司累積經驗？這是許多大學畢業生一定會問的問題之一，其實這個問題並沒有絕對的答案，最關鍵的一點，還是要看你用什麼心態在學習，而在職場生存第二年的你會成為怎樣的社會人，往往就取決於此。

大公司——大象般的穩重，駱駝般的堅忍

根據統計，大概有六到八成的新鮮人在挑選公司時，通常都會先以大公司與知名公司為首選，一方面是對自己所嚮往的產業還不夠了解，另一方面則是因為對於品牌總有著美好的想像，但是要記得，每一個選擇都有它的好處跟壞處。

缺點：杯子滿了，水只會溢出來

前王品董事長戴勝益曾說，過去的王品集團常犯一個錯誤，那就是這個同仁的能力還沒到，就把他從店長升上區經理，頭銜很漂亮，但不久後就離職了。

戴董事長認為，在新鮮人尚未培養好自己的能力時，最好先暫緩進入大公司。大公司裡面，新人經常會有前輩帶，各種狀況也有固定的ＳＯＰ可以處理，製作專案通常也是一整個團隊合力完成，所以簡單來說，你很有可能因此懶散而不

知進取，太過安逸而失去對未知的好奇心。

有一些從大公司出來的人會說，工作幾年下來，學最多的就是知道辦公室裡誰跟誰在一起、哪一家便當便宜又好吃、誰喝飲料要半糖去冰……真要說起來，頂多就是比較會看臉色，辦事效率比較快而已。

這當然有些太過誇張了，不過大公司裡面，由於接洽的事物太多、營運的項目太廣，分工細一點那是絕對的，所以你可能永遠負責寫文案；他永遠負責接聽客服電話，如果你沒有留心，幾乎學不太到什麼跨領域的東西。而小公司工作的模式，往往是一人身兼多職，每天都要應付來自四面八方的挑戰。所以。如果一開始進入大公司的你真的有一天必須轉換跑道，那麼就很可能遇到以下麻煩：第一，人家覺得你會了，所以不會再特別教你，你也不敢開口問。第二，自由、彈性的制度，讓你辦事超級沒有安全感。第三，你無法理解為什麼公司頭銜變小後，以前對你好聲好氣的廠商都換了一副臉孔，在這種情況下，很多人會因為不適應或是被孤立而離職。

優點：穩健步伐，培養長遠的目光

國外企業家二代，常被自己的父母建議先到國際化的大公司從基層員工做起，這是因為大企業的運作模式通常有目標、有步驟、有規劃，跟小公司的「今年只求不虧錢，明年只求能賺錢」模式截然不同。且它們具有一定的資本，可以經手許多小公司沒有辦法碰上邊的投資與案子，總體來說，它的眼界是大的，眼光是遠的，所以坊間也曾流行著一句

話：「到大公司學學制度面吧！」

如果你是一個非常懂得自我學習的人，進了大公司，你就能得到滿滿收穫。有的人認為，大企業的優點就像一座城堡，砲火充足、資源豐富，很難因為一點社會變動就被打倒；也有人認為，在大企業裡面工作雖然無法多方涉獵，看到這個產業的全貌，但如果你是公司裡的文案，幾年下來很可能就變成專職的文案高手，而如果你是公司裡的人資，藉著大公司每年總是有一大批求職者的優勢，更是可以在短時間內累積大量看人、用人、選人的經驗；大公司的職涯，傾向讓你專精於某一領域的培養。

另外，大公司的優點除了上述提到的制度面、專才面，還有一個就是因為它的規模大、員工多，你可以與更多人才一起共事，如果你們都是高手，那更是會互相刺激求進步，學習到更多本領。

小公司──兔子般的輕盈，狐狸般的警覺

我問過身邊許多剛認識的新鮮人，他們進小公司的理由，大部分是因為搶不到大公司的職缺，或是因為自卑，所以一開始就沒有投遞大公司的打算。這樣看起來，小公司好像是他們退而求其次的選擇，但小公司真的沒有其可取之處嗎？

缺點：缺少配套、規章模糊

宜靜是一個大學剛畢業的新鮮人，她的第一份工作進了一家小型的電子商務公司，

原來應徵企劃助理的她，進去之後才發現，因為過去沒有專責倉管的人員，所以搬貨、點貨都得自己來；而在她之前的那個企劃，檔案命名完全是照自己喜好，導致她根本找不到過去的客戶名單。她無計可施之下，只好去跟主管索取過往活動的相關資料，沒想到主管竟然說：「啊！抱歉抱歉……我之前好像沒有特別跟她要來做備份耶……不然妳再找找好了，真的沒有的話再來跟我說。」這樣的情形，讓新進才幾天的宜靜，已經開始煩惱去留的問題了。

新鮮人剛進一家公司已經夠手忙腳亂了，若是這時主管還告訴你：「我們沒有特定的標準流程，你只要做得順手就好。」你會做何感想呢？其實，這就是許多小公司目前的現況，它們對於每項工作都沒有太清楚的職權劃分，因為資本有限，一個人當然要拿來當三個人用才符合產能效益，另外，因為各職務間常常互相支援，所以很難訂定出一套固定、完整的作業流程，同一個職位換了不同的人來做，方法就有可能完全不同，在這樣的情況下，沒有經驗的新人最怕的就是無意間複製了錯誤的做法，往後再將這樣的習性帶到新公司，就很容易在某些時候吃悶虧。

另外，由於小公司的財力不比大公司，外在環境一有風吹草動，或是決策者一個失神，便很容易直接影響到底下的基層員工，且因為業務量相對來說較少，外面的廠商若跟你沒有交情，對你當然也不會十分關心或照顧，所以在小公司生存，你必須擁有柔軟的身段、隨機應變的能力、打破砂鍋的毅力，以及能夠靈活變通的思辨能力。

優點：大石塊下的雜草，往往長得更為結實

香港首富李嘉誠先生曾說：「吃別人所不能吃的苦，忍別人所不能忍的氣，做別人所不能做的事，就能享受別人所不能享受的一切。」在小公司裡看似所忙皆是雜事，一下支援客服部，一下支援業務部，但若你可以挺過來，往後你就是你自己的堡壘，刀槍棍棒都傷不了你。

小公司就好像一個剛學走路的嬰兒，一邊成長一邊發展著多元的可能性。要越過欄杆必須扶哪裡才能平衡呢？要提升拿到標案的可能性，企劃跟預算該如何拿捏呢？諸如此類的大小問題，幾乎每個星期都會在辦公室裡上演，看似沒有具體制度的公司，在這個時候就成了你大顯身手的舞台，在你權責之內的事務，你大可以評估風險後用自己的方式去做，而小公司為了應付瑣碎問題，通常也較鼓勵創意發想，你的腦袋也就不易僵化，且對於專案也較易得到全權負責、獨當一面的機會。

因為組織分層相對簡單，你也將有機會直接參與主管推行的計畫，或是與老闆共事，如果這時你足夠優秀，就會很容易被長官看見。而忙碌地支援各部門，低聲下氣跟廠商談判與妥協，這也代表著在小公司已累積一定年資的你，基本上已經摸遍了這個行業所需的各個分工環節，也培養出獨到的人際手腕與解決問題的能力，雖然是「被環境所逼」才達到的高度，但是往後的你已經有本錢去選擇你所愛的環境，也擁有著改變環境的力量了。

畢業5年
決定你的一生

05 壯遊&打工度假

出國動機將成為決勝關鍵

許多人都將大學畢業視為人生中重要的里程碑，在思想上，你已經具備了一定的成熟度；在經濟上，你也多少嘗試過靠自己的雙手創造金錢的能力，所以有許多年輕人會選擇在這個最有衝勁、最有體力的時候，讓自己走出國際去看看這個多彩多姿的世界，而其中不但省錢，甚至還可能賺到一大筆錢的，莫過於打工度假了。另外，也有一小群人會選擇用較刻苦的方式，用自己的足跡去體驗每個文化深層的樣貌，這樣的壯遊往往會帶給我們一些深刻且重要的體悟，讓我們在往後的人生中受用無窮。

穩定性不足、忠誠度不高？

我有一個在人資領域工作的友人曾經跟我提到，他說他特別不喜歡用曾經有打工度假經驗的員工，原因有二。

第一，是因為他們往往已經習慣，並嚮往著國外自由開放的生活風氣與勞資關係，回到台灣根本無法適應；的確，我們的社會對於職場有一套既定的刻板印象和檯面下運作的邏輯，我不能直接說它是錯誤的，但確實不討喜。第二，則是因為薪水問題，他們如果選擇所得高的國家當作打工目的地，只要在國外過著拮据一點的生活，牙一咬一年過去，存款多個幾十萬台幣根本不是問題，但是在台灣就不是這樣了，就算三餐吃泡麵、出門只靠十一路公車（雙腳），過了三年卻還是連地段好一點的房子頭期款都付不出來。

所以他認為，有打工度假經驗的員工，要嘛就是暗暗在心裡把台灣當作溫暖的暫時充電站，等休息夠了就會重奔異國的懷抱，所以通常不會在公司待太久，他就要面臨重新找人的窘境；要嘛就是始終無法真正融入職場，成為辦公室裡一顆隱形的未爆彈，讓他這個教育訓練人員提心吊膽、擔憂不已。

就公司的角度來看，他訴說的那種情形絕對是不利的，但是如果站在員工當事人的角度，我會覺得他至少找到了自己喜歡的生活方式，並勇於去追夢。當然公司有公司的立場，求職者有求職者的想法，兩邊合則來、不合則去，一切坦白，似乎也無傷大雅。

最害怕的是有一種求職者，明明心裡想的是只做完短期就離職，卻在應徵時信誓旦旦地說他希望能在公司長期發展，這就破壞了雙方信任的基礎，除了給公司造成很大的麻煩之外，也很可能為他自己往後在台的求職留下了不好的印記。

過去，我前輩的公司曾錄取了一個剛從澳洲打工度假回來的年輕人，擔任行政助理的工作，雖說是行政職，但因她的外語能力不錯，主管便開始將一些需要英文接洽的專案交給她負責。當時，請她幫忙的項目還有一個較大型年度專案的執行輔助，但由於這個案子的規劃與成效需要長期配合追蹤，主管還特別詢問過她是否願意承接，當時她毫不遲疑地說：「沒問題，而且我相信從這個任務中可以學到更多東西，所以請放心交給我吧！」

但就在短短三個月過後，那個女孩就提出了離職申請，主管當然非常訝異，詢問之下，她才終於坦白，原來當初她應徵這家公司時，已經透過仲介公司在等待國外打工的媒合，而現在剛好已經輪到她的順位，所以請主管也不用特別慰留，她是一定會走的。

一次出遊，終身受用

公益旅行家褚士瑩曾引用一位日本小說家所說的話：「很多人都是在三十歲就死了，八十歲才埋葬。」說明了很多人汲汲營營地一頭栽進社會，在三十歲以前很容易就遺忘了夢想，而對他來說，透過旅行改變生命，就是給夢想最多氧氣的方法；但是，很重要的一點是你知不知道自己的出國動機是什麼？

以出國的行動來追求生命能有一些改變，有可能是正面激勵，也可能是負面逃避，動機不明的人經過短暫刺激後，很快又會回到原地踏步的狀態；不過，如果出國的種種體驗能開啟你發現天賦的過程，那麼此次的旅途，將成為你不可或缺的養分。

台灣有一個專門介紹本土民宿的網站，它的創辦人是兩位原來任職於行銷領域的小女生。某一次國外長途旅行後，她們發現國外的的住宿景點雖然好，但是仍比不上台灣民宿那種樸實、純粹想與旅人分享當地之美的文化。因此，她們在回國後架設了網站，以一週採訪兩間民宿的慢步調，加上挖掘在地人文故事的精神，成功打造了以柔性勸說為基調的非商業旅遊網，靠著當時旅外時萌芽的信念，她們的網站建立起人與人間的溫暖情誼，許多民宿老闆都感謝地說：「她們介紹來的客人就是不一樣，通常一聊就知道了。」

柔南中小企業公會會長陳天聰，在二十一歲時也曾隻身到國外打工度假，因年輕時的出走，不僅得到了許多生命體悟、開拓了他的視野，也對他往後的生涯規劃有很大的幫助，不過，他也提醒年輕人，必須要清楚了解到自己在此趟體驗中獲得了什麼。礙於大社會的環境，企業主普遍不認為打工度假能為履歷起到什麼助益，所以更要能確切說出自己的收穫，更或許可以運用國際化的角度，將所遇到的困境與解決之道，移植到現在的職場，才可以為自己大大加分。

以現在流行的打工度假地點紐、澳為例，雖然當地多為勞力性質的工作，但從工作中你也可以透過仔細觀察，了解整個產線的運作模式與大公司的管理模式，在看似一成不變的工作中，或許你也可以試著求快求好，總之，只要時時刻刻動腦思考，你的打工度假經驗，絕對可以比他人精彩、豐富。

企業觀感大聲說

綜合以上，在面對履歷上有「打工度假」或「壯遊」的社會新鮮人，有的企業會以較嚴格的目光審視，也許會完全不把你那一兩年的辛苦當一回事，而直接看做工作經驗上的空白；但又也許只會更加謹慎的詢問你近期、中期、長期的人生規劃，無論是哪一種，我希望你在踏出國的那一刻起就要先做好一些心理準備。

但也有的企業，願意肯定你那段在國外難得的見聞經驗。

畢竟在國外打工、壯遊時不像留學，還有學生身分的保護，因此，可以貼近當地生活並實際融入當地社會的興衰與矛盾，再加上經過異國文化的衝擊與洗禮，眼界必定會有所增長，能給公司帶來新思維、新氣象也未可知；另外，敢隻身一人踏上旅途，也代表你是個獨立、勇於冒險、不怕吃苦的年輕人，而擁有這些人格特質的人，往往也容易受到主管的倚重。

潛能分析模擬測驗

你夠了解自己嗎？知道自己的優勢、劣勢、好習慣和壞習慣嗎？在閱讀以下章節之前，先透過以下A至H八個部分，共四十道題目，勾選你認為符合自身描述的選項，而勾選較多的部分，就代表你需要多加強，翻至下一頁即有分析解釋。

A

□常常覺得不可能，我辦不到。
□沒有工作經驗讓我很困擾。
□學歷讓我很自卑。
□找到理想工作好困難。
□對未來感到迷網、徬徨無助。

B

□很難說出自己十個優點。
□很難說出自己十個缺點。
□沒有擅長或感興趣的事情。
□我不知道該為將來做什麼準備？
□我不清楚自己要的是什麼？

C

□工作後停止學習新事物。
□困難的任務，希望不要落到自己頭上。
□與客戶和上司溝通常出問題。
□負責任讓我感到壓力很大。
□時常因為工作壓力大而生氣。

D

□寫企劃案常常都是從零開始。
□常常埋頭苦幹後，才知道方向錯了。
□錯誤一犯再犯。
□一旦適應工作，就會安逸過生活。
□做好分內工作，其他都不管。

E

□常常覺得時間不夠用。

□常說出「我很忙，沒有空」。

□事情總會拖個一兩天在處理。

□一堆事情，我不知道先處理什麼？

□總是急急忙忙，小細節都會出錯。

F

□社交讓我覺得很困擾。

□努力想做好社交，卻兩三句話就結束。

□畢業後，同學便沒有再聯絡。

□下班後，不想與同事有聚會。

□我向來說一是一，沒有討論的空間。

G

□時常抱怨公司、同事、工作。

□覺得自己只不過是一顆棋子。

□工作量很大，薪水卻只有一些些。

□工作一成不變，越來越無趣。

□每天進公司都覺得好痛苦。

H

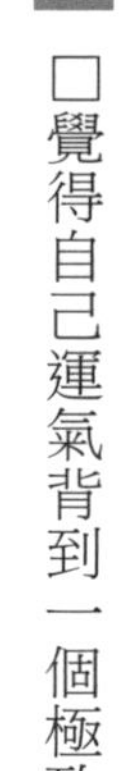

□覺得自己運氣背到一個極致。

□現階段是我人生低谷。

□常常覺得：為什麼是我？

□做的比別人多，卻拿的比別人少。

□頭頂上時常烏雲密布，覺得很痛苦。

潛能分析模擬測驗

【解析】

勾選較多的部分，代表你較缺少的潛能。透過此份解析，讓你看清自己的劣勢（這份表格不是唯一的標準答案，只能讓你較清楚自己缺少的是什麼），進而翻閱黃金八堂課，來了解自己需加強的項目。（各解析後附有相對應的章節參閱頁碼，如P045。）

A. 缺乏自信心者 045

症狀一 時常覺得不可能，自己一無事處。

症狀二 對自己的一切感到自卑，比不上別人。

症狀三 沒有信心能完成任務，害怕挑戰。

B. 無法自我定位者 071

症狀一 對於未來，不知道自己要做什麼。

症狀二 跟著父母的指示，走大家期望的路。

症狀三 沒有特別感興趣或擅長的事情。

C. 學習力薄弱者 095

症狀一 一旦工作後，便停止學習。

症狀二 厭於挑戰新事物，喜歡安逸生活。

症狀三 溝通、合作對自己來說是困難的。

D. 模仿力貧乏者 137

症狀一 凡事都從頭開始。

症狀二 想法無法舉一反三。

症狀三 許多事情無法融會貫通。

黃金課程第1堂

信心建立法

把「不可能」這句話，裝進紙盒裡埋葬

很多剛畢業的年輕人經常說這樣的話：「太嫩，沒經驗。」、「太窮，沒資金。」其實，年輕既是一種弱勢，也是一種優勢。不要認為自己沒有值得驕傲的資本，年輕人最大的資本就是年輕、有朝氣、有熱情、有衝勁！想成功，就要懂得挖掘自身的價值並經營自己的優勢。不要拿年輕作為失敗的藉口，永遠要堅定自己的信仰，堅持自己的行動！

01 如果連你都否定自己，那別人要怎麼認同你？

在這個充滿壓力與競爭的社會裡，一次次思想的蛻變，是向光明人生邁進的推進器。即使你現在還不是一枚鑽石，只要讓自己成為一盞燈，就能照亮各種可能性！

渺小不意味可憐

莎士比亞曾說：「假使我們自比為泥土，那我們就將真的成為被人踐踏的泥土了。」

不要隨便否定自己，不要說自己沒有本事。雖然你只是滄海一粟，渺小如浩瀚大海中的一滴水。可是，渺小並不意味著可憐，渺小也不意味著可以隨便否定自己。如果連你自己都隨便否定自己的價值，否定自己的存在，又怎麼能要求別人來認可你呢？肯定自己，才能讓自己這滴水匯入河海；否定自己，則只能眼睜睜地看著自己被蒸發掉。

沒有挑戰的氣魄就等於浪費時間

一九四九年，一位二十四歲的年輕人充滿自信地走進了美國通用汽車公司，應聘做會計工作。這位年輕人到通用應聘只是因為父親告訴他，通用汽車公司是一家經營良好的公司，同時，父親建議他可以去看看。於是，這位年輕人就去了。

在面試的時候，這位年輕人的自信給面試他的主管留下了深刻的印象。當時，通用公司只有一個會計的缺額，面試官告訴這位年輕人，競爭這個職位的人非常多，而且，對於一個新手來說，可能很難立即勝任這個職位的工作。但是，這位年輕人根本不認為這是一個困難的工作，相反地，他認為自己完全可以勝任這個職位，更重要的是，他認為自己是一個善於自我激勵、自我規劃的人，他說自己來應聘的目的就是「想成為通用汽車公司董事長」。

正是由於具有自我激勵和自我規劃的能力，這位年輕人被錄用了！錄用這位年輕人的面試官這樣對祕書說：「我剛剛雇用了一個想成為通用汽車公司董事長的人！」這位年輕人就是羅傑·史密斯，一九八一年一月，出任通用汽車公司的董事長。

安德魯·卡內基曾經說：「我是不會幫助那些缺乏成為企業領袖氣勢的年輕人的。」由此可見，有沒有敢於挑戰的氣魄，以及自信心足不足夠，是決定一個人能否實現目標的關鍵。所以雖然你還年輕，但千萬不要認為自己「沒本事」，你必須擁有極大的自信，相信自己可以勝任「那個職位」，自然而然，你就會朝著那個職位發展出所需的能力和特質。請記住，一個說自己沒本事的人，就永遠得不到本事！

別說不可能，你就是自己的上帝

在人生的旅程中，不時會有人對我們說：「你認為你行，其實你不行」或「你根本做不到」之類的話，而我們往往信以為真。

我曾經讀過這麼一個有趣的故事：

有一個窮小子替農場主人搬東西時，不小心打碎了一個貴重的花瓶。農場主人要窮小子賠，窮小子沒有辦法，只好去教堂懇請神父出個主意。神父告訴他，有一種技術能將破碎的花瓶黏起來，請他去學習。但窮小子不相信，覺得這是不可能的事情。神父說，教堂後有個石壁，上帝就在那，只要他對著石壁大聲呼喊，上帝就會答應他的要求。

窮小子來到石壁前，大聲說道：「上帝啊！神父說我能將破碎的花瓶黏起來，不可能吧！」話音剛落，上帝就回答了：「不可能。」窮小子極為沮喪。等他回到教堂時，神父鼓勵他說：「你對自己沒有信心，上帝又怎麼會對你有信心呢？只要你有信心，上帝肯定會幫助你。」

於是，窮小子鼓起勇氣，回到石壁前，對著石壁大聲說道：「無所不能的上帝啊！請您幫助我，讓我相信我能將花瓶黏好。」上帝說話了：「能將花瓶黏好！」得到上帝的旨意後，窮小子信心百倍，辭別神父，去學習黏花瓶的技術了。一年之後，窮小子重返故里，他終於將那只打碎的貴重花瓶黏得天衣無縫，並將它交還給農場主人。因此，他的名聲大振，成為遠近聞名的修復古董專家。

他想要感謝上帝。神父將他領到了那座石壁前，笑著說：「你不用感謝上帝，你要感謝的就是你自己！這塊石壁不過是面回音壁，你聽到的其實是自己的聲音。你就是你自己的上帝！」

真正能主宰自己命運的人，不是別人而是我們自己。所以，請勇敢地做自己的上帝！只要你相信自己能，你就一定能！

必要時，當一隻置死地而後生的「跳蚤」

幾年前，有個年輕人從南部北上求職，以他的能力和才華，負責一個部門的運作不成問題。他一個在企業界工作多年的朋友就向一家IT公司的總裁寫了一封信，推薦這個年輕人過去面試。

沒想到，這個年輕人對自己的信心不足，職業目標並不高，認為自己以前從未在那麼大的IT公司做過主管，擔心無法通過面試，或者甚至已經有機會進入該公司服務，卻因為害怕若工作表現不佳，反而會讓朋友沒面子。於是，他最後選擇去其他公司找一些階級較低的工作。

然而，這位年輕人先後寄了履歷給幾家公司的人事部門，卻始終毫無音訊，迫不得已，他還是打了電話給IT公司的總裁，總裁的祕書接過電話問道：「請問您找哪一位？」他回答說：「請找總裁。」祕書說：「對不起，總裁正在開會，可以請您留言嗎？」年輕

人卻又不好意思留言。

年輕人的朋友知道了這件事，就發了一封電子郵件給他，裡面講了一個「跳蚤的故事」。

曾經有人做過這樣的一個實驗，把一隻跳蚤放進玻璃杯，發現跳蚤跳起來的高度，一般可達到牠身體的四百倍，如果再增加玻璃的高度，跳蚤就跳不出來了。但是，當你把一盞酒精燈拿到杯底，讓跳蚤熱得受不了的時候，牠就會「蹦」地一下跳出去，正像兵法上所說的「置之死地而後生」。

看了這則故事，年輕人立刻領悟了。第二天，他再一次打電話給總裁，同樣是祕書接的電話，但年輕人這次直呼總裁的名字，祕書聽了不敢怠慢，很快就將電話接通了。後面的故事就不用多說了，這位年輕人現在已成為該IT公司的設計總監。

一句話，能改變你的一生

一滴水能折射出太陽的光輝，一顆流星能劃破夜空的沉寂，你也一定有自己所能發揮的能力。

上帝此時沒有關注你，是因為你還不夠資格進入上帝的視線。因為你還沒有承受過磨難與歷練，因此，上帝延遲了對你的恩賜。請記住，上帝的延遲，並不等於拒絕，祂只是在等待你更加成熟。

02 沒經驗才能一點一滴盛裝成功

剛步入社會的年輕人，如同一張白紙，缺乏經驗。因此，也許在剛開始的時候會覺得摸不著頭緒，自己的能力與想達成的事情，也有一段落差。此時，一定要有多一點點耐心，在從事任何工作的過程中，把優勢經營起來，把經驗累積出來，只要堅持下去，成功便指日可待。

懂得經營優勢，就能吸引目光

由於一般企業認為剛進入職場的畢業生對企業忠誠度較差，跳槽率高，而人員流動率高將會增加公司在人力資本上的付出，這使得許多公司在招聘時往往會附加上「工作經驗」的要求。

當走出校門的畢業生抱怨企業築起的一道道「工作經驗」門檻制約了職業選擇時，企業也正在為大學生求職履歷上那眼花撩亂的「相關經驗」感到迷茫。所以，如果你能懂得探討企業所設立起的「經驗壁壘」，在自己的身上尋求與其要求相符的特質，並適度地將其「誇大化」、有條理地依據企業的要求將其列出，那麼沒經驗的你也絕對能夠吸引企業的目光。

剛剛走出校門的大學生最大的劣勢是一張白紙，最大的優勢也是一張白紙，而在優勢與劣勢之間如何自處，其實靠的就是你自己有沒有去經營出自己的優勢。

一件幸運的事：有機會從工作中培養所需的能力！

小雅是我一位同學的妹妹，她大學畢業後，進入嚮往已久的雜誌社當記者。雖說是記者，卻沒有被指派去擔任採訪的工作，每天總是做些整理採訪錄音帶之類的小事情。做這些無聊的工作是她以前所沒料到的，所以使得她覺得越來越不滿，甚至萌生了辭職的念頭。

我給了她這樣的建議：「妳是幸運的，因為妳有機會從工作當中培養工作所需的能力。如果妳覺得現在的工作無聊，那只是妳的藉口，說明妳並沒有努力工作。妳其實可以試著學習如何快速聽寫錄音帶，試著成為快速記錄的高手，將來在撰寫採訪稿時一定會派得上用場。因為聽寫一個小時的錄音帶，往往要耗掉三至五倍的時間，但如果精通速記的話，只要花費和錄音帶相同的時間就可以完成了，不但準確也很省時。」

於是，小雅每個週末都去附近的學校學習速記。她精通了速記後，變得能夠快速地進行錄音帶的速記工作。幾年以後，她以「錄音帶速記高手」的名聲在業內出了名，因為速記的快速、正確，即使在雜誌社裁減員工的時候，她不但沒有被裁掉，而且還獲得了晉升。

先選擇一個適合自己的環境，選擇一個能讓自己在工作的鍛鍊中成長的職位，先累積工作所需的能力和經驗，將有助於你進入更好、更健全的環境發展。

兩塊錢換得工作機會：坦誠缺點贏得賞識

坦誠自己有某些缺點並懂得努力去改變的人，通常能受到上司的賞識。有一個年輕人大學畢業後，到一家公司應聘會計。面試時，他遭到了拒絕，因為公司需要的是具有多年工作經驗的資深財會人員。

年輕人對主考官說：「請給我一次機會吧！讓我參加你們的筆試。」主考官拗不過他，最後答應了他的請求。結果，這個年輕人順利地通過了筆試，由人事經理親自進行複試。

人事經理對他很有好感，因為他的筆試成績是最好的，不過，年輕人的話讓人事經理感到很失望。年輕人坦率地對經理說，自己從來沒有工作過，唯一的經驗是在學校時掌管學生會的財務。

找一個毫無工作經驗的人做會計，無疑是很不划算的，於是人事經理決定「收兵」，對年輕人說：「今天就到這裡吧，如果有消息，我們會打電話通知你的。」

年輕人站起來，掏出兩塊錢以雙手遞給人事經理，並且說：「不管你們是否錄取我，都請打電話通知我。」人事經理從來沒有遇過這種情況，一般面試結束後，求職者通常只會說聲謝謝便離去了，所以這位年輕人的積極與主動讓他一時呆住了。不過，他很快回過神來，問年輕人：「你怎麼知道我們不會打電話給沒被錄取的人？」

「你剛才說有消息會打電話，言下之意就是說，不會打電話給沒被錄取的人。」人事

經理產生了興趣，接著問：「如果沒被錄取，我們打電話給你，你想知道什麼呢？」

「請你們告訴我，我在什麼地方不能達到你們的要求，在哪方面不夠好，以後我才知道該如何改進。」

「那這兩塊錢是？」

年輕人笑答：「打電話給沒被錄取的人，本來不屬於貴公司的日常開支，所以這錢當然要由我來付。」

經理也笑了：「請把這兩塊錢收回去，我們不會打電話給你。現在，我就通知你被錄取了。」

公司裡有很多人不能理解，為什麼要聘請一個剛剛畢業的大學生。

人事經理在工作會議上說：「一開始就被拒絕，仍然堅持參加筆試，說明他有堅強的毅力。清算帳務是一件十分繁雜的工作，沒有足夠的耐心和毅力，是不可能做好的。坦言相告自己沒有工作經驗，則顯示他的誠實，這對與財務相關的職務尤為重要。即使不能錄取，也希望得到別人的評價，證明他有面對不足的勇氣和敢於承擔責任，並有力求更好的上進心。自己掏錢付電話費，反映出他公私分明的良好意識。具備這些做人的原則，正是公司所需要的。經驗不足可以累積，而公司發展的希望就寄託在這種極具潛力的年輕人身上。」

一句話，能改變你的一生

沒經驗不可怕，可怕的是你沒有勇氣去經歷、去嘗試、去挑戰。

經驗不是與生俱來的，在工作職位上進行不斷地實踐，才能累積出豐富的經驗。「經歷」不等於「經驗」。審視一下不少人所追求的「經驗」，會發現那是一種急功近利的「經歷」，他們認為「進魚缸游一圈，就能變成金魚」，於是只急於進入在社會上富有聲望的大公司、急於結識「有頭有臉」的大人物，卻忘了實際的能力和經驗才是真正該去踏實累積的！

03 「起點」不是重點，影響一生的往往是「轉折點」

常常有人說「不要讓自己的人生輸在起跑點上」，好像「起點」決定了一個人的成敗。其實，這句話錯了，人生也許會有很多個「起點」，但也有更多的「轉折點」。畢業後這幾年，你站在人生的一個新起點，你從零開始，但命運往往會意外地為你帶來許多機會，一念之差就會讓你朝向成功或失敗的道路上行走。

善用「轉折點」，讓自己徹底改頭換面

你現在在做什麼，不代表你將來還是在做什麼；你現在是什麼樣的人，不代表你將來就是什麼樣的人。

畢業後這幾年的關鍵期，會讓你站在人生的新起點上，一切要從零開始，也許很艱辛，但要相信好事將在人生的轉角處等著你。

印度前總理尼赫魯曾經說過這樣一句話：「生活就像是玩撲克牌，發到手裡的是什麼牌已經註定了，但你的打法卻完全取決於自己的意志。」沒錯，發牌是隨機的，我們分到什麼就是什麼，沒有任何選擇的餘地和更換的可能性。當你拿到不好的牌時，請不要一味地抱怨，因為這對於你沒有半點用處，現狀也不會因為你的抱怨而有所改變。你能做的，就是試著調整自己，將自己手中的爛牌重新做排列組合，並用心地把每張牌都打好。

也就是說，其實，每個人命運的起點雖然是不一樣的，但是如果你能換個心態並懂得運用技巧，就能夠扭轉人生成敗輸贏的乾坤。

想要到好公司上班，你必須有第一份工作的歷練

香港第一任行政長官董建華的父親董浩雲，是香港鼎鼎有名的「船王」。董建華大學畢業後，輿論認為董浩雲一定會安排兒子去美國繼續深造，或回香港在董家的海運王國執掌要職，為自己分擔經營管理上的壓力。然而出乎人們意料的是，董浩雲卻要董建華到美國通用汽車公司去當一名普通的基層職員。

董浩雲與董建華之間有過這樣一段談話，可以看出董浩雲教子成才的良苦用心。在去通用之前，董浩雲想讓董建華明白一個做父親的心意。董浩雲問：「兒子，你能明白我為什麼要讓你進『通用』嗎？」

董建華回答：「我明白。因為『通用』是全球最大的汽車公司，總裁艾爾弗雷德．史隆創立的現代企業管理原則，應該適用於我們這個國際型的航運企業。我相信，我在『通用』可以學到很多東西。」

董浩雲期許兒子能夠脫離他的保護傘，到別人的企業磨練，從基層開始訓練自己的基本功，並學會在企業中找到自己的定位，效法該企業的優點，並且學習如何從該企業的缺點中做危機處理，將這些難得的經歷帶回公司。

董建華聽從父親的安排，在通用汽車公司勤奮地做了四年。

不少剛剛畢業的年輕人，總是奢望馬上就能找到自己理想中的工作。然而，很多好工作往往是無法等來的，必須有第一份工作的歷練。職業旅程中的第一份工作，無疑是踏入社會這所大學的起點。也許，你現在正在做著一份差強人意的工作，那麼從這裡出發，好好地沉澱自己，從這份工作中汲取有價值的營養，從工作經驗中鍛鍊自己成為全方位的專業人才，才能讓企業正視你存在的價值。

一句話，能改變你的一生

「起點」可以相同，但是選擇了不同的「轉折點」，「終點」就會大大不同！人生需要「起步」，更需要懂得在關鍵時刻「起跳」，才能在舞臺上翩翩「起舞」！邁出的腳步大小不重要，重要的是腳步的方向。勤奮的雙腳一定要行走在正確的道路上，並且懂得在需要拐彎的地方拐彎、需要上坡的地方上坡！

04 寧願當種子也不要當沙子

金子能發光，種子能發芽。畢業不到五年的年輕人，沒有必要擔心在職場中自己是不是一塊金子，或是有沒有地方、有沒有機會讓你發光發熱，而是要堅信自己是一粒種子，只要找到適合的土壤，只要有充足的陽光，就能茁壯成長。與其沉醉於難以自拔的懷「金」不遇夢中，還不如甘心當一粒健康飽滿的種子，牢牢扎根在平凡職位的土壤中，讓自己的職業之樹結出碩美的果實！

你是「真金」嗎？

很多剛剛畢業的年輕人，心高氣傲，時時刻刻顯示出一種優越感，總覺得自己是一匹千里馬，是一個人才，一直期待著有伯樂來發現自己、有長官來賞識自己。但問題是，現實的情況遠非他們所想的那樣。於是，當優越感逐漸轉為失落感甚至挫敗感時，當堅信自己是一塊「金子」到懷疑自己是一顆「沙子」時，對未來的擔心與迷惘就與日俱增起來。

不少人覺得「懷才不遇」，總是認為自己有水準、有能力，只是缺少伯樂，缺少讓他們施展才能的舞臺，所以才會沒有什麼作為與成就。為了「自慰」，他們會對自己說一句：「天生我才必有用，只要是金子總會發光的。」

其實，你要仔細衡量一下：「自己是否真是『金子』？」是真金子，手中就必定有絕活，在才能上就必定有過人之處。真金是要靠實力來證

明的，你必須得先把自己的本領給修練好了才行。

同時，世界上不可能到處都是金子，也不可能每個人都是傑出的人才。曾經聽過一位種稻多年的長者這麼說：「人就像一粒種子，健康的種子，身體、精神、情感都要健康。我願做一粒健康的種子！」如果我們安心將自己視作一粒健康的種子，無論種在哪裡，哪怕是在貧瘠的土壤裡或狹小的石縫中，也要倔強地破土而出、努力地茁壯成長。

隨時準備好，才能在機會來臨時勝出

關於如何「隨時準備好自己」，在每次做職業培訓時，我特別喜歡引用下面這個故事。

有一個自以為是全才的年輕人，畢業以後屢次碰壁，一直找不到理想的工作，讓他傷心而絕望，他感到沒有「伯樂」來賞識他這匹「千里馬」。在痛苦絕望的情況下，有一天，他來到大海邊，打算就此結束自己的生命。在他正要自殺的時候，有一位老人從附近走過看見了他，並且救了他。老人問他為什麼要走上絕路，年輕人說自己得不到別人和社會的認同，沒有人欣賞並且重用他。

老人從腳下的沙灘上撿起一粒沙子，讓年輕人看了看，然後甩手把沙子扔回地上，接著對年輕人說：「請你把我剛才扔在地上的那粒沙子撿起來。」「這根本不可能！」年輕人說。

老人沒有說話，從口袋裡掏出一顆晶瑩剔透的珍珠，同樣是甩手扔在了地上，然後對年輕人說：「你能不能把這顆珍珠撿起來呢？」「當然可以！」「那你就應該明白是為什麼了吧？你應該知道，現在的你還不是一顆珍珠，所以你不能苛求別人立即認同你。如果要別人認同，那你就要想辦法使自己成為一顆珍珠才行。」年輕人蹙眉低首，一時無語。

年輕人必須知道自己是普通的「沙子」，而不是價值連城的「珍珠」。你想卓爾不群，就要有鶴立雞群的條件才行。忍受不了打擊和挫折，承受不住忽視和平淡，就很難達到輝煌。

找到屬於你的種子

相對於把那些能取得一定成就的人比喻為「金子」還是「珍珠」，對那些還在奮鬥中的人，我更喜歡將他們比喻為「種子」。

我有位高中同學，當時在校成績不錯，考試的時候卻沒有發揮應有的實力而落榜了。後來，他到一家冷凍工廠當會計，由於年輕沒有經驗，還不到一個月就被工廠辭退了。這位同學只好外出打工。先後做過工人、超市收銀員、快遞員，但都半途而廢。然而，當同學每次沮喪地回來時，母親總是安慰他而沒有抱怨。到了三十歲時，我同學在自己家鄉的一家托兒所當幼教老師，後來又自己開了一家幼稚園。過了一陣子，他到台北成立了一所占地更大、更有規模的學校。

有一天，我同學問母親，前些年他連連失敗，自己都覺得前途渺茫的時候，是什麼原因讓母親對自己有信心？母親的回答直率而簡單。她說，一塊地，不適合種麥子，那可以試試種豆子；如果豆子也長不好的話，可以種瓜果；如果瓜果也不行的話，撒上一些花

草種子一定能夠開花。因為每一塊地，總會有一顆種子適合它，也終會有屬於它的一片收成。

每個人在努力而未成功之前，都是一粒尚未找到落腳處的種子，總會有一塊土地是適合你的。你不能期望沙漠中有綻放的百合，你也不能奢求水塘裡有孑然的綠竹，但你可以在土地上播種五穀，在泥沼裡撒下蓮子，只要你有信心，等待你的，將會是豐碩的成果。

工作態度決定了個人格局

成功者的成功總是有很多的相似之處，他們無不是經過了「先當種子再當金子」的考驗。

某知名電視臺的女主持人，曾在大學的演講中以她自己的親身經歷，為即將走上工作職位或者面臨就業選擇的大學生們，分享了工作的經驗之談。

她大學時就讀經濟系，畢業後到一家財經報社上班。可是她萬萬沒有想到，報社長官竟然把她調到通聯部去抄信封。

當時，她感到很失望，甚至是絕望，大學畢業怎麼只做這個不需要什麼專長的寫信封工作？雖然一時有些想不通，然而她還是好好地去做了。三個月之後，她寫信封寫得又快又好，快到了一個人能夠完成三個人的工作量。

長官看她表現十分突出，就過來問道：「想不想做點什麼其他的工作呀？」從此以後，她先後成了文摘版、社論版和副刊的編輯……

通用汽車公司的一位人力資源部門負責人曾經這樣説過：「我們在分析應徵者適不適合某項工作的時候，通常會考慮他對目前工作的態度。如果他認為自己當下的工作很重要，我們就會留下很深的印象。即使他對目前的工作不滿也沒有關係。為什麼呢？這個道理很簡單，如果他認為目前的工作很重要，他對下一項工作也可能抱著「我以工作成就為榮」的態度。我們發現，一個人的工作態度跟他的工作效率確實有著很密切的關係。」

看來，「種子心態」其實更可貴，它往往比成為金子還要有更大的價值，也可以為你帶來更大的財富。

一句話，能改變你的一生

金子可能被塵蒙，沙子可能被吹散，但種子總有一天能發芽。

不是每個人都能成為閃亮的金子，但每個人都是希望的種子；金子是被動的，等待別人發現，如果沒有別人的開採，可能會被永遠埋沒；種子是主動的，可以自己發芽，只要有空氣、陽光和水分，就能破土而出！

05 命運掌握在自己的手裡

畢業後的五年裡，你的人生也許會遭遇很多挫折，經歷很多黑暗，很多時候你會覺得徬徨無助，覺得自己做不了主，但一定要記住：「你絕對擁有邁向成功的潛能。」你有權選擇成功，也有權選擇平庸，沒有任何人或任何事能強迫你，就看你如何去選擇。一個人的命運絕對是掌握在自己的手裡，而不是在別人的手裡！

你總是等著別人給自己承諾嗎？

大部分人在漫長艱苦的人生之路上，糊里糊塗地由孩童變成了青少年，還沒談過幾場戀愛，隨後大學畢業，又由年輕人變成了大人，還不清楚自己要什麼樣的人生伴侶，就已經成為別人的父親或母親。很多人一生都在渴望別人給予自己承諾，而自己卻不肯給自己一個承諾。

當我們懵懂時，渴望父母給予我們生命的第一個承諾：「放心吧！孩子，爸爸媽媽會永遠保護你！」這是一種關於成長的承諾。

當我們開始上學時，渴望老師摸著我們的頭，親切地說：「別怕，有什麼難題就來找我，我會幫助你的。」這是一種關於學習的承諾。

當我們逐漸成熟，戀愛也隨之到來。你渴望身邊的他（她），含情脈脈地對自己說：「我愛你，我會永遠和你在一起，守候在你的身旁。」這是一種關於愛情的承諾。

步入社會，我們開始了真正意義上的情感之旅，我們渴望著有一天，人生的那個伴侶對自己說：「我們結婚吧！我會照顧你一生一世的！」這是一種關於婚姻的承諾。

你是不是也把生命的承諾全部都交給了別人？

人這一輩子，前二十年尚未成熟，基本上要依靠父母，選擇權掌握在父母的手裡；後二十年已衰老，要依靠子女或社會，命運的選擇手杖開始交付給子女或社會；三十五歲到五十歲，人生處於中年時期，可謂「刀槍不入」，價值觀基本上已經定型。

三十歲到三十五歲是角色增加與變化最多的五年，從職場新人晉升到中層管理者，成家而從為人子女者變成為人父母，基本上沒什麼時間與空間讓你進行人生的思維鍛煉與能力提升。

這樣看起來，只有三十歲之前的幾年，即畢業之後大約五年的這段時間，自己能掌握自己命運的選擇權，也是這關鍵五年，決定一生的機會。在最能決定自己命運的時候，如果還不把握，為自己許下承諾，那你要等到什麼時候呢？

一張紙有很多不同的命運

一次職業素養培訓課上，培訓師巧妙的授課方式在我腦海留下了深刻的印象，至今記憶猶新。

那是針對剛剛進入職場沒多長時間的新鮮人而舉辦的培訓，大部分人都對自己的前途

憂心忡忡，覺得找不到人生的出路。

培訓師之前就瞭解了這個情況，因此在開始的時候沒有像其他人那樣直接就進入理論授課，而是拿起一張紙扔在了地上，請坐在前面的一位學員回答：「請問這張紙有幾種命運？」

那位學員一時愣住了，過了好一會兒才回答：「扔到地上就變成了一張廢紙，這就是它的命運。」

培訓師顯然並不滿意他的回答。他當著大家的面在那張紙上踩了幾腳，又撿起那張紙，把它撕成兩半扔在地上，然後，心平氣和地請那位學員再一次回答同樣的問題。

那位學員被弄糊塗了，他紅著臉回答：「這下純粹變成了一張廢紙。」

培訓師不動聲色地撿起撕成兩半的紙，很快地，他在上面畫了一匹奔騰的駿馬，而剛才踩下的腳印恰到好處地變成了駿馬蹄下的原野。

培訓師舉起畫問那位學員：「現在請你回答，這張紙的命運是什麼？」

那位學員的臉色明朗起來，乾脆俐落地回答：「您給一張廢紙賦予希望，使它有了價值。」

培訓師臉上露出一絲笑容。接下來，他又掏出打火機，點燃了那張畫，一眨眼的工夫，這張紙變成了灰燼。

最後，培訓師說：「起初並不起眼的一張紙，我們以消極的心態去看待它，就會使它變得一文不值。如果我們以積極的心態對待它，給它一些希望和力量，那麼紙就會起死回生了。一張紙是這樣，一個人也一樣啊！」

一張紙可以變成廢紙扔在地上，被我們踩來踩去，也可以拿來折成紙飛機，飛得很高讓我們仰望。一張紙尚且有多種命運，更何況是我們呢？命運如同掌紋，彎彎曲曲，然而無論它怎樣變化，永遠都掌握在我們自己的手中。

一句話，能改變你的一生

我的人生我做主，命運由己不由人。

不要活在別人的眼裡，而要把命運掌握在你自己的手裡！別說你沒有背景，自己就是自己最大的背景。不必要向誰祈禱，因為在這個世界上，只有你能決定自己的命運。

06 致富沒那麼難，只需要創意和勇氣

在年輕人眼裡，財富總是遙不可及。任何成功都需要創意，還有就是那麼一點小小的勇氣。所以，想致富其實很簡單，就是想得、做得比別人快，而且敢於冒險。

敢於走別人沒走過的路

一九二一年，《紐約時報》有一篇文章談到了電報對於資訊傳播的重大貢獻，並指出當時人們接受的資訊已是二十五年前的五十倍了。有十幾個人，從這篇報導中得到了啟發。

這些人心想，如果創辦一份文摘刊物，讓讀者從大量的資訊中獲得自己需要的資訊，肯定會受到歡迎。他們立刻就去辦理各種手續，當他們申請郵局發行時，得到的答覆是：因為從沒有過這類刊物，目前條件還不成熟，還要等一等。絕大多數申辦者聽到這樣的回答，應該就會暫緩自己的計畫了吧！

但這十幾人中有一位叫華萊士的年輕人卻毫不猶豫，他想：「郵局不發行，我可以自己發行呀！」他沒有等待，而是將訂單裝入兩千個信封中，從郵局發往各地。

就這樣，這位年輕人創辦了當時世界上很少有的文摘刊物，一下子擁有了不少的讀者，而且市場越來越廣闊。這份刊物就是有名的《讀者文摘》。到了二〇〇二年，這本刊物已成為了世界性的刊物。它用十九種文字出版，發行到一百二十七個國家，年收入達五億多美元。

沿著別人的足跡，只能做別人做過的事。走自己的路，才能為自己創造出累積財富的新機會！

創意可以開採出金山

俗話說：「條條大路通羅馬。」對於一個一心一意追求財富的人來說，通往財富的道路也是無處不在。美國汽車大王福特就曾經運用一個財富創意「在花錢的同時賺錢」。

創業之初的福特與一家汽車配件商訂購一批零件，價格與品質談好後，福特要求對方用木箱對零件進行包裝，以減少運輸中的損壞，並詳細而嚴格地規定了木箱的長度、厚度以及寬度。

如此繁複又多花錢包裝手續，不僅在當時的業界沒有人會願意做，就連配件商也感到有些不滿意，但為了能長期和福特做生意，他們還是一一照辦了。

貨物運抵後，福特要求員工把包裝箱輕輕拆開，不允許弄壞任何一塊木板，並要求將拆下的木板一塊不少地送到新建的辦公大樓，當時，員工們都不知道自己的老闆葫蘆裡到底賣的是什麼藥。

原來，所有包裝箱的木板都被用來裝飾辦公大樓的地板，包裝箱的尺寸和厚度，都是按地板的尺寸要求而設計的，這些木板為福特節約了近十萬美元的資金。當員工們得知真相後，都不禁為自己老闆的精明拍案叫絕。

一般來說，包裝箱只是廢品，充其量也只是可以回收的舊木板而已，但是，別人沒想到的，你敢去要求，一個充滿智慧的創意隨之帶來了財富。

一句話，能改變你的一生

比爾．蓋茲說：「最美好的財富，始於個人敢於行動的氣魄。」

優秀的創意可以轉化為巨大的生產力。如何使你的創意成為現實，讓你充滿衝勁與生命力的夢想成真？只要你擁有勇氣和創造力，成功就離你不遠了！

黃金課程第2堂

自我定位法

越瞭解自己的人，越容易取得成功

剛剛畢業的你，正站在人生的十字路口上，處於人生的決定性時刻，究竟，該選擇哪一條路呢？關於未來，充滿太多的不確定。然而，人生也正是因為這種不確定而顯得有意義，因為你既有很多的「不確定」，也有很多的「可能性」。只要懂得用理性的方法，透過自我的分析來了解自己，那麼，你就能迅速走出年輕的困惑，進而在人生的道路上取得成就、創造精彩。

01 從腦袋裡找出你未來的錢途

一萬個人對幸福有一萬個解釋。我覺得，幸福就是：不困惑、不恐懼、不逃避。只要我們不害怕，什麼坎坷都能越過！即使我們還在迷霧中前行，也要堅信總有一天能見到光明；即使現在的我們還找不到「出路」，也要給自己的未來一個明確的「思路」。

出路來自於思路

剛剛畢業的年輕人正處於何去何從、前途未卜的十字路口，這是人生決定性的時刻。決定性的選擇需要果斷和勇氣，而果斷和勇氣，雖有猜測和賭博的成分，但更多來自知識和智慧的判斷。

「出路」在哪裡？出路在於你的「思路」！

字典裡對「出路」的解釋是：「前途；發展的方向。」對「思路」的解釋是：「思想的門徑；思維的條理脈絡。」「出路」的範疇更大，主要指的是一個方向；而「思路」則具體指路徑與脈絡，也就是「思考的線索」。

剛剛畢業不到五年的你，想要走出「困惑」、找到「出路」，以下五條黃金思考法則，能為你釐清現況，找到方向：

一、我想要得到什麼？快樂、金錢、名聲？

二、我要成為這個社會中什麼層次的人？或

者我一點也不介意？

三、我的行業在社會中處於什麼樣的趨勢？有前景？或是漸趨沒落？

四、我的職銜（指○○經理、企劃等）在行業中處於什麼樣的地位？

五、我需要為將來做哪些準備？

仔細地思考以上這幾個問題，可以幫助你釐清期望與現實狀況，也將有助於你早一點走出迷惘。

逃避讓你離成功愈來愈遠

我們都知道，當我們正在謀劃下一步應該怎麼走的時候，總是讓人感到龐大的壓力。當我們才畢業一兩年，別人就問我們將來想做什麼時，這會讓我們很不開心。它意味著我們還不能具體的知道什麼東西可以讓我們快樂和滿足前，就要做出選擇。這是多麼困難的事情！

想想也是，我們才剛剛畢業沒幾年呢！人生大廈正在打地基，人生快車剛剛踩油門，未知的事情太多了，我們怎麼知道自己未來的人生道路會是如何呢？

我不知道我什麼時候能從底層員工晉升為中階主管；我不知道我什麼時候能賺到錢，買到屬於自己的房子；我不知道我什麼時候能結婚生子擁有美滿幸福的家庭……

其實，沒有錢、沒有經驗、沒有閱歷、沒有社會關係，這些都不可怕。沒有錢，可以透

過辛勤勞動去賺；沒有經驗，可以透過實際執行去累積；沒有閱歷，可以一步一步去經歷；沒有社會關係，可以一點一點去累計。但是，找不到「出路」，這才讓人感到恐懼，感到好想逃避！

人活在世上，必須要有一個正確的方向，無論你的志向有多遠大，無論你是多麼足智多謀，無論你花費了多大的心血，如果沒有一個正確的方向，你可能就會過得很茫然，漸漸你就會喪失了鬥志，忘卻了最初的夢想，就會沿著錯誤的死胡同走上彎路甚至不歸路，誤了自己的聰明才智，誤了自己的青春年華。

荷馬史詩《奧德賽》中有一句至理名言：「沒有比漫無目的地徘徊更令人無法忍受的了。」畢業這五年裡的迷茫，會帶給你十年後的恐慌和二十年後的平庸。如果不能在畢業這五年儘快衝出困惑、走出迷霧，那麼便很難在十年後、二十年後成就出一個你所希望成為的自己。

一句話，能改變你的一生

面對困境時，先不要急著放棄，堅持就會有好事發生！

人生沒有絕路，困境雖在前方，但希望就在轉角。你只要懂得調整「思路」，就一定能少走一些「彎路」、早點找到「出路」！

02 活用潛能，就能創造出巨大的奇蹟

在每個人的身上，都蘊藏著巨大的潛能，都有著一座巨大的「寶藏」，都有著一個巨大的「未知」，都可能創造一個巨大的奇蹟。只要能在畢業後的這幾年內不懈地挖掘自己的潛能，並運用它，就能做到連自己都想像不到的事情。現在，就讓你的小宇宙盡情燃燒吧！

潛能如沉睡的火山，暗藏無窮的能量

任何人的成功都不是註定的，一個看似平凡無奇的人也可能在某天獲得成功，因為他開發了自己的潛能。人的潛能猶如一座沉睡的火山，蘊藏著無窮的能量，多數人不會察覺，但只要你抱著積極的心態去開發它，你就會有用不完的能量，你的能力也就會越來越強。

無論你現在是落魄還是輝煌，無論別人怎麼評價你，也無論你的前方還有多少挫折，只要你相信自己，相信你的潛能，未來就一定能有所成就。

壓力和緊張，是喚醒潛能的鬧鐘

一位婦人坐在大門前注視著一輛輕型卡車，這輛車已經有些破舊了，這是他們家最重要的交通和運輸工具，也是最重要的經濟來源。婦人的兒子正躺在這輛車的下面，車壞了，他必須趕快把它修好，因為他們沒有這輛車就什麼都做不

了。突然間，婦人看見汽車翻倒了，她大為驚慌，急忙跑到車子旁。千斤頂折斷了，她看到她的兒子被壓在車子下面，躺在那裡，滿臉痛苦。

這是一則報紙上的報導。據說，這位婦人的身材並不魁梧，她的身高不到一百六十公分。但是她毫不猶豫地衝過去，把雙手伸到車下，將車子抬了起來。於是，她的兒子從下面爬了出來，安然無恙。

等兒子出來之後，婦人卻開始覺得奇怪了。剛才去抬車子的時候根本來不及想自己是否抬得動，由於情況緊急，她只是拼盡全力去做，結果真的把車子抬起來了。她很好奇地想著，難道自己其實是個大力士？所以就再試了一次，結果發現根本就動不了那輛車子。

這位婦人在緊張的情況下產生了一種超人的力量，當她看到自己的兒子被壓在汽車下的時候，直覺反應是救自己的兒子，一心要把壓在兒子身上的卡車抬起來。其實，可以說正是這種緊張和迫切的情況引發出她潛在的力量，才使她救了自己的兒子。

今天，你之所以沒有成功，很可能是因為你的潛能還在沉睡，這位熟睡的巨人需要你去喚醒。通常，這位巨人在極大的壓力及緊張的環境之下，特別容易醒來，所以，不要逃避壓力，而要去面對它，因為它正是喚醒你潛能的鬧鐘。當你一心朝著某個目標前進的時候，不管目標有多困難，都要對自己說：「我一定能辦到！」那麼，或許你能辦到的，最後連你自己都會大吃一驚。

限制，是從自己的內心開始的

世界頂尖潛能成功學大師安東尼．羅賓為了證明人類的巨大潛能，曾做過下面的實驗：那是一種赤足從火上走過的課程，在整堂課裡，所有的學員都必須面對火紅熾熱的木炭所鋪成的「火路」，然後大膽地赤足走過。對於那些沒有這種經驗的人來說，是極為駭人的場面，於是有的人哭叫，有的人腿軟了，更有的人渾身發抖，甚至有人苦苦哀求免去這種「考驗」，不過最終所有的學員還是得走過這條路，因為沒有經歷過這場考驗的人，就無法獲得結業。

對此，安東尼．羅賓說：「我們當中很少有人有過這樣的經驗，但相信有不少人看過他人赤足走過火路的場面，特別是在寺廟的祭典當中。當我們看見別人平安走過火堆之後，總以為是神明在庇護那些人，或是有人預先在火堆中動了手腳，其實，大家都不知道只要在妥善安排的情況下，人人都能平安走過。」

根據科學家的觀察與測試，發現不需要用跑的，只要步行的速度夠快，便不容易灼傷腳底。因為每當腳掌在接觸火炭的瞬間，會立即釋放出汗水，形成一層絕緣體，在那層汗膜尚未蒸發前提起腳掌，汗水便吸收先前的熱量而化為蒸氣消逝，因而腳掌絲毫不會受到損傷。

由於大多數人不瞭解人體的神奇機能，帶著無知來面對那些自己視為可怕的遭遇，便容易陷入畏縮不前的狀態中。當那些學員咬緊牙關安全走過火堆後，他們的觀念產生了很

大的改變，因為原先認為做不到的事情，竟然可以輕易實現，而且毫髮無傷。他們發現，原來，「限制是從自己的內心開始的。」

訓練潛能的方法

擁有目標的人會吸引前來相助的能量。從訂立目標到產生成果，需要不斷地激發潛能！如何才能激發自己的潛能呢？下面這些方法也許能幫助你：

一、認識自我

人最難的就是認識自己，然而只有真正認識、了解自己的人，才能盡可能地發揮自己的長處，讓自己變得更加成熟。

(1) 用自信、積極、愉快的語句來描述你自己。
(2) 用明朗、快活、讚揚的字眼來描述別人。
(3) 肯定自己的優點。

二、樹立信心

缺乏自信常常是一個人無法成功的主要原因。只要相信自己，就能發揮出潛能，你就能成為自己希望成為的那種人。

(1) 學會正視別人，漸漸地，你可以從別人給予的回應中增加更多的自信。
(2) 把走路的速度加快百分之二十五，這會使你感到充滿活力。
(3) 練習當眾發言。

(4) 咧開嘴大笑，不要怕不雅觀。
(5) 怯場時，勇敢承認，這樣能幫助你平靜下來。
(6) 用積極的語氣以消除自卑感。

三、要有積極的心態

你的未來是好還是壞，不是由命運來決定的，而是由你的心態所決定的，只要能用積極的心態看事情，就能最大限度地激發自己的潛能，相反地，消極的心態只會抑制你的潛能！

(1) 記住：「你怎樣對待別人，別人就怎樣對待你」。
(2) 記住：「你怎樣面對生活，生活就怎樣對待你」。
(3) 心態決定你的定位，把自己定位得越高，你所獲得的就越多。

從現在開始，不要再讓你的潛能繼續沉睡下去！放棄消極的思想，培養自己的信心，要信任自己潛在的才華和能力，你就是一個準成功者！

一句話，能改變你的一生

別輕視自己，你的潛力絕對不比別人差，只是還有很多沒被激發出來。
時常給自己一點壓力，給自己積極的心理暗示，這對你潛能的開發很有幫助。

03 在最熟悉的領域裡做你最熟練的事

走知道的路最近，做熟悉的事最快！在最熟悉的地方做最熟練的事，才能如魚得水般自在。因此，一定要明白自己會什麼、最能做什麼，搞清楚哪裡是自己最熟悉的地方、最擅長的行業。選擇了你最熟悉的地方，接著只要專注並且持之以恆，就可以成功。

只做最熟練的事

比爾．蓋茲說過，微軟自成立以來一直專注於軟體技術。隨著公司的成長，他們已能應對那些需要長期探索的疑難問題，這也是微軟一直從事軟體行業的原因之一。

美國《經理人文摘》指出：「經理人應當專注地邁向自己的工作目標，除了思考、計畫、輔導員工、分配任務、簽署文件以外，什麼都不做。」

看來，成功的人都有這樣的共識——在最熟悉的領域裡做最熟練的事。

找到自己的強項，發揮最大潛能

幸運之神總是垂青於忠於自己個性長處的人。

奧托．瓦拉赫是諾貝爾化學獎得主，他的成長經歷極富傳奇色彩。瓦拉赫在開始讀中學時，父母為他選擇的是一條文學之路，不料一個學期下來，老師為他寫下了這樣的評語：「瓦拉赫很用功，但過分拘泥，即使有著完美的品德，也絕不可能在文學上發揮出來。」

此時，父母只好尊重兒子的意見，讓他改學油畫。可是瓦拉赫既不善於構圖，又不會潤色，對藝術的理解力也不強，成績在班上是倒數第一，學校的評語更是令人難以接受：「你是繪畫藝術方面的不可造就之才。」

面對如此「笨拙」的學生，絕大部分老師認為他已成才無望，只有化學老師認為他做事一絲不苟，具備做好化學實驗應有的特質，建議他試著學習化學。父母接受了化學老師的建議。

這下子，瓦拉赫智慧的火花一下被點著了。文學藝術的「不可造就之才」一下子變成了化學方面公認的「前程遠大的高材生」。

瓦拉赫的成功，說明了這樣的道理：人的智慧發展都是不均衡的，都有各自的強項和弱項，一旦找到自己的最強項，使潛力得到充分的發揮，便可取得驚人的成績。

隔行如隔山，隨時有歸零的準備

離開自己最熟悉的地方，放棄自己最熟練的事，等於是拿自己的劣勢與別人的優勢抗衡。

小李在畢業後一時沒找到特別合適的工作，又剛好有朋友想轉讓花店，於是他接手了這家花店，但經營花卉他並不在行，接手花店幾個月了，花店生意始終清淡。

他分析原因，覺得是花店所處的位置不佳影響了生意。正當他準備關門歇業、另起爐

灶時，距花店不遠處又有人新開了一家花店。抱著觀望的心態，小李倒要看看那家花店究竟經營得如何。沒想到幾天後，那家花店風生水起，生意越做越興隆。看來，小李對於花店的「位置論」有失偏頗。

閉門思過之後，小李終於想明白了，生意蕭條的根本原因不在於「位置」，而在於自己對花店的經營業務「不熟悉」。

砰，砰，砰，一陣敲門聲傳來，一位老同學十萬火急地請小李去搶修電腦。小李立即拿起工具包，披衣出門。到了老同學家，才三兩下，當機不動的電腦很快恢復了活力。老同學緊蹙著的眉頭終於舒展開來：「小李你真行！乾脆開間店專修電腦吧！現在會用電腦但不會修電腦的人很多，修理電腦的生意一定不會差！」

對呀！為什麼不做自己最拿手的事情呢？小李作出決定——關掉花店，開一家電腦維修店！

由於技術精湛，小李贏得了很多電腦用戶的青睞。電腦IE流覽器打不開、印表機連不上了、螢幕全黑什麼都不顯示……，面對五花八門的電腦「病症」，小李都能一一救治，人到病除。

對自己的長處保持興趣相當重要，即使它不怎麼高雅入流，但可能是你改變命運的一大財富。選擇職業也是如此，你無需考慮這個職業能給你帶來多少錢、能不能使你成名，重要的是，你應該選擇最能使你全力以赴、最能使你的品格和優勢得到充分發揮的職業。

一句話，能改變你的一生

一條路如果你走得很熟，那麼你可能不需要燈光也能找到目標。

練習做不熟的事，等於拿自我劣勢與他人優勢抗衡！但如果在你最擅長的地方下功夫、花時間，久而久之，你就算不用燈光，也能找到成功。

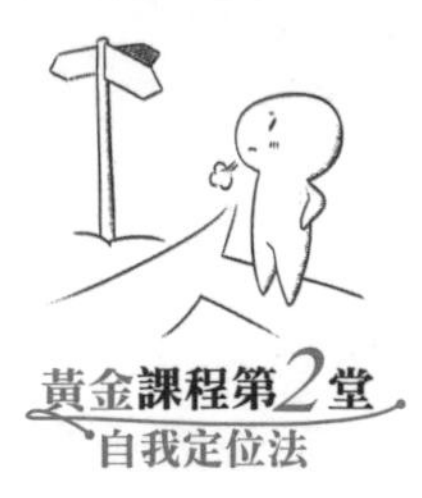

04 你可以被「定位」，但不能被「定型」

所謂定位，是指找出個人天賦、興趣與市場的結合方式；所謂定型，是指你讓自己習慣同一個運作模式，這只會扼殺了天性。

自我定位是什麼，你就是什麼

被定型的人滿街都是，但真正能夠在自己人生中有很好定位的人卻不多。

美國著名牧師內德．蘭賽姆在臨終時留下這樣一句遺言：「假如時光可以倒流，世上將有一半的人成為偉人。」也許就因為一念之差，才使世界上有了偉人與凡人。

全球已經進入講求品牌競爭力的時代，每個年輕人都是一個品牌，個性化的時代需要個性化的品牌，如果你還淹沒在茫茫人海之中沒有鮮明的個人品牌特徵，你又如何能展示自己的才華？

當世界已經變「平」，當人們的視線開始渙散，每個年輕人都必須塑造自己的個人品牌。一個成功的個人品牌將為你提供一個走向世界的平臺，在這個平臺上，你的才華得以展現於人前，你的價值得以最多的呈現，全世界的目光也才會聚焦在你的身上。

畢業後這幾年，你正處於對生活、對感情、對職業等的定位期，這是人生不可缺少的過程，將對未來起著重要的影響。因此，我們被「定位」並不可怕，可怕的是我們在年輕的時候就被別人和社會「定型」！

可以這麼說，一個人在畢業後這五年培養起來的行止見識，將決定他一生的高度。一個人能否成功，在某種程度上取決於自己對自己的評價，這種評價就是所謂的「定位」。

在心中，你給自己的定位是什麼，你就是什麼。定位能決定人生，定位也能改變命運！

別讓自己落入框架的陷阱

在我小的時候，每當父母在向別人介紹我時，總喜歡說上這麼一句：「這個孩子比較內向，不喜歡說話。」在他們眼中，好像我就是一個「內向」的孩子！然而，他們並不知道，我在家裡是不喜歡說話，可是我在學校裡面和同學面前卻是非常活躍的。我那時明白了一件事：「你們可以把我『定位』為一個『內向』的人，但是我不希望被『定型』為一個『孤僻』的人！」

大學畢業後出來工作，每當別人聽說我是從印刷學院畢業的時候，總會不由自主地聯想到我是學工科的，肯定和印刷有什麼直接關係，好像我就是專門在印刷廠裡負責排版、印製的。其實，我學的專業屬於文科，主要是和文字、媒體打交道。於是我常常跟別人澄清：「你們可以把我『定位』為是印刷學院畢業的，但請不要把我『定型』為就是做印刷業的！」

上班幾年下來，每次遞送名片給人家時，人家接過來一看，自然的反應就是：「喔！文人，才子啊！」難道我就要一輩子爬格子嗎？我開始思索，其實，我一直不喜歡被人冠以「文人」、「才子」這樣的稱呼。不是覺得「文人」和「才子」不好，而是我不希望自己的人生這麼簡單、乏味。隨著職場規劃以及人生定位的逐漸明朗，我發現，人生永遠充滿著許多的可能性。

我經常思考：「如果不和文字打交道，我能做什麼？」因為被多次邀請去為一些學校和公司舉辦講座，我突然發現，我還可以從事職業培訓與人生諮詢相關的行業。

有一次，我和一位美籍華人朋友在網路上聊天。她說，我以後可以當Motivational Speaker（人生動力演講師），這個職業在美國很流行。我當時看到她說這句話，突然感覺自己的人生更加明朗了。沒錯，我找到了一個新的人生「定位」！我千萬不能被「定型」為一個只會「用手」寫東西的人，我還要做一個能「用口」表達的人！

我不知道以後我的人生還會有什麼別的「定位」，也許我還要做一個「用心」思考生活的人。不管如何，我都不希望自己被侷限在框框裡！

是商人還是乞丐，取決於你對自我的定位

一個人對自我的定位，可以改變自己的命運。

我在一本書裡讀過這樣一個故事：

「在一個地鐵出口，有一個乞丐模樣的年輕人站在那裡賣鑰匙鍊。一名商人路過，向他面前的杯子裡投入幾枚硬幣，匆匆離去。過了一下子，商人回來拿鑰匙鍊，並帶著歉意地說：「對不起，我忘了拿鑰匙鍊，我們都是商人。」

幾年後，這位商人參加一次高級酒會，遇見了一位衣冠楚楚的老闆向他敬酒致謝，並告訴他：「我就是當初賣鑰匙鍊的那位年輕人。因為你的一句話，我的人生有了重大的轉變。」」

明白這個故事的意義了嗎？重點是你將自己放在哪個位置。你認定自己是乞丐，你就是乞丐；你將自己定位於商人，你就是商人。當年輕人以商人的心態來看待自己時，他就成了一名成功的商人，成功地擺脱只能淪落街頭的宿命。

定位是找出個人天賦、興趣與市場的結合方式；而定型是把你那無限可能的心框住，扼殺了你的天性。定型的人滿街都是，但人生真正重要的定位卻沒有。很多人一直處在不知道自己要什麼的狀態中。工作了、戀愛了、結婚了，卻發現對什麼都提不起勁。人生還沒有「定位」，但已有了明顯的「定型」。

剛畢業的你，步入社會後，一定要小心別被他人和社會定型了。別在一開始就為自己設限，你才能帶著自由的意識與心靈，發展無限可能。每個職場的階段都是一個修練場，唯有不斷試煉，才能測試出自己的能耐。就好像是一顆充滿稜角的石頭，必須經過歲月的洗禮才能變得圓潤。

瞭解，是開發自我潛能的第一步

既然定位如此重要，那麼我們就要用科學方法對自己進行全面分析，客觀認識自己，只有全面認識了自己，才能對自己的生涯作出最佳的定位，選定適合自己發展的職業道路。

我們通常認為自己才是最了解自己的人，然而，事實上並非如此，因為每個人的身上都存在著連自己也沒有察覺的那部分自我。只有能夠了解到：自己是由以下這四個部分的自我所組成，才有可能比較全面地認識自己並為自己做出定位：

一、**公開我**：自己知道、別人也知道的部分，個人的外在表現部分。

二、**隱私我**：自己知道、別人不知道的部分，個人內在的祕密部分。

三、**潛在我**：自己不知道、別人也不知道的部分，有待開發的部分。

四、**背脊我**：自己不知道、別人知道的部分。

我們可以透過以上此四種自我的分析，藉由回答相關問題來認識自己、瞭解自己，根據自己對問題的反應和理解來瞭解全面的你，找到自己的優勢、劣勢以及發展方向。

當然，你也可以採用電腦測試法。現在先進的測試方法比較多，可以透過人格測試、智力測試、能力測試、性向測驗等對自己進行科學評估。在這方面要向相關專業機構、人才中心、人力資源諮詢公司等進行諮詢，借助他們在這方面的優勢進行評估。我們要學會客觀地看待自己，誠懇地徵詢他人的意見和看法，有則改之，無則嘉勉，完善自己。在此，就介紹各位幾個提供線上測試進而能協助你更加了解自我的網站：

◆行政院勞委會・全國就業e網：
http://php.ejob.gov.tw/interest/

◆104人力銀行・社會新鮮人，性格找方向專區：
https://www.104.com.tw/area/freshman/book/mydirection/m/1

◆1111人力銀行・九大職能星測驗專區：
http://www.1111.com.tw/cstar/

◆CPAS人才評測網（需付費）：
http://cpas.career.com.tw/CPAS/

一句話，能改變你的一生

我們可以相信「吸引力法則」，但千萬別膜拜「悲觀宿命論」，二者有明顯區別。吸引力法則，可以讓我們心想事成；悲觀宿命論，只會讓我們陷入愁雲慘霧中。

05 機會，要靠自己去察覺和創造

成功的機會無處不在，關鍵在於你是否能緊緊地抓住。聰明的人能從一件小事中得到大啟示，有所感悟，並將其化為成功的機會。而愚昧的人即使機會就在他面前也不會察覺，就如同陽光、空氣時刻瀰漫在我們周圍，但還是有人說黑暗、說難以呼吸一樣。

運用SWOT分析法，找到自己的機會

為了更準確地進行自我分析、規劃人生，我們可以瞭解一下在職業規劃中常用的一種分析方法——個人SWOT分析。

SWOT分析是一種了解及發現技能、喜好和職業機會的好工具。透過它，你會很容易知道自己的個人優勢和弱勢在哪裡，並且能仔細評估出自己感興趣的職業中，會遇到的機會和威脅所在。S代表Strength（優勢），W代表Weakness（弱勢），O代表Opportunity（機會），T代表Threat（威脅），其中，S、W是內部因素，O、T是外部因素。

一般來說，對自身的職業發展進行SWOT分析時，應遵循以下四個步驟：

一、評估自己的長處和短處

每個人都有自己獨特的性格、天賦和能力。在當今分工非常細的市場經濟裡，找到這種獨特

S	W
較具有優勢的方面，如：較強的組織策劃能力、堅強的毅力、領悟理解能力很強、出眾的外語溝通能力……	相比之下較弱的方面，如：不善於表達、該表現的時候不會表現、見到上司就恐懼、不願意承擔責任……
O	**T**
有利於職業選擇和職業發展的一些機會、公司提供更寬廣的成長機會、有更多競爭力和鍛鍊的高職位……	潛在的風險和威脅，如：經濟下滑造成公司裁員、跨國人才進入造成明顯的競爭加劇、新進員工優勢明顯……

的能力更顯得重要。譬如說，有些人可以在辦公桌前坐一整天也不會受不了，而有些人則擅長外出和客戶打交道。請做個列表，列出你自己喜歡做的事情和你的長處所在。同樣地，透過列表，可以找出自己不是很喜歡做的事情和弱勢。

找出你的短處和發現長處一樣重要，因為你可以基於自己的長處和短處做兩種選擇：

一是努力去改正常犯的錯誤，提高技能。

二是放棄那些對你不擅長的技能要求很高的職業。

列出你認為自己所具備的重要強項，和對職業選擇產生影響的弱勢，然後再標出那些你認為對你來說很重要的項目。

二、找出你的職業機會和威脅

不同的行業和不同的公司都面臨不同的外部機會和威脅，所以，找出這些外界因素可以幫助你成功地找到一份適合自己的工作，這些機會和威脅將會影響你今後的職業發展。

如果公司處於一個常受到外界不利因素影響的行業

裡，很自然地，這個公司能提供的職業機會將是很少的，而且沒有升遷的機會。相反地，充滿了許多發展機會的行業將為求職者提供廣闊的職業前景。請列出你感興趣的一兩個行業，然後認真地評估這些行業所面臨的機會和威脅。

三、列出今後三到五年內你的職業目標

提綱式地列出你接下來三到五年內最想實現的四至五個職業目標。這些目標可以包括：想從事哪一種職業、你將管理多少人，或者希望自己拿到多少薪水。請記住：你必須竭盡所能地發揮出自己的優勢，使之與行業提供的工作機會完美地匹配。

四、列出一份三到五年間的職業行動計畫

這一步主要涉及到具體的行動。請擬出一份為實現第三步驟而列出的行動計畫，並且詳細地說明為了實現每一目標，你要做哪些事，還有，何時完成這些事。如果你覺得需要一些外界幫助，請說明需要何種幫助以及該如何獲取這些幫助。

例如，你的個人ＳＷＯＴ分析可能顯示，為了實現理想中的職業目標，你需要進修更多的會計課程，那麼，你的職業行動計畫應說明要參加哪些課程、以及何時進修這些課程等等。你所擬訂的詳盡行動計畫將幫助你做決策，就像外出旅行前，事先制定的計畫將成為你的行動指南一樣。

做個人ＳＷＯＴ分析需要你的認真投入，或許這會使你花不少時間和力氣去思考，但是，進行一次詳盡的個人ＳＷＯＴ分析卻是值得的，因為當做完詳盡的個人ＳＷＯＴ分析後，你將有一個連貫的、實際可行的個人職業策略可以參考。

一句話，能改變你的一生

失敗者總是不把機會當機會，於是好的位置就讓別人捷足先登了。

成功並不取決於機會，而是取決於你自己。重要的並不是你在哪個階段遇見機會，而是面對機會時你是如何把握的。你有沒有分析過，自己是屬於等待機會、發現機會、還是創造機會的人呢？

黃金課程第3堂

職場學習藝術

你懂得做一塊吸水的海綿嗎？

這幾年畢業的人也許會覺得比較「倒楣」，碰上了不好的時機：就業形勢越來越嚴峻、職場競爭越來越激烈、失業潮來得又急又快……。這樣的情況更突顯出「能力」的重要性，在不同的行業與工作中，許多能力都是共通的必備能力，比如傾聽能力、學習能力、溝通能力、合作能力、情緒控管能力……。每一個行業，都是一所學校；每一份工作，都是一堂課。懂得在工作中提升自我能力，你才能好好地保住飯碗、迅速地晉升加薪！

01 停止學習的人，將會被職場拋棄

人們常把學習稱為「充電」，這個比喻十分傳神，如果一個人停止了學習，就有如不及時充電，便失去了能量。無論何時何地，即使你離開了校園，也不能停止學習。因為，只有隨時充實自己，為自己奠定雄厚基礎的人，才能在競爭的環境中生存下去。

電池失去電力，就成了廢物

身處資訊爆炸的時代，每天所出版的圖書、報刊和湧現的科學發明成千上萬，而你學習吸收知識的時間、能力、條件均有限，不可能一勞永逸，以不變的知識結構去應付迅速變化的社會。況且，「知識陳舊率」也驚人的高，在大學所學的知識，在畢業十年後，有用的僅剩百分之二十。在國外，一個工程師在六年之後必須重新考試，假如考試沒有通過，就不再是工程師。你就像一顆電池，如果持續不斷使用卻不充電，那麼電池最終會失去電力，成為廢物。

學習不是階段性任務，而是永無止境

我有位高中同學，他畢業於大學英語系，希望能在國際教育交流領域闖出一番事業，目前任職於某大學國際交流部門。在正常工作之餘，我這位同學利用業餘時間自學市場行銷和電子商務等課程，而且主動承擔起部門網站編輯和國際交流活動策劃等工作，成功組織了各項活動。透過努力，網站的品質也受到上司的好評。

幾年後，由於部門管理的混亂，他自己也感覺這樣繼續工作下去毫無前途可言，便跳槽到一家國際教育發展投資公司做市場研究員，開始了每天在外跑業務的生活。我同學只花了一年多的時間就成為公司的業績指標，並升職做了主管。後來，他又被安排到市場部，擔任市場部經理助理。在這個階段，他開始全面接觸市場工作，工作衝勁和績效非常高。在助理的位子上，我同學充分發揮出自己的特長，特別在市場策劃方面顯示出了過人的能力。

有一年春節我們聚會，我和他聊得很暢快。期間，他回憶起之前的艱辛，也憧憬著以後的幸福，其中有一句話讓我印象深刻：

「一個年輕人，不一定要終身受僱，但一定要終身學習！」

這句話讓我那天晚上在回家的路上思索良久。

很多人從學校畢業，走入社會後就喪失了上進心，他們認為自己在學校學習的知識足夠一生所用了，於是就開始躺在已有的老本上，吃起老本來。其實，畢業意味一種學習的結束，同時也意味著另一種學習的開始，社會就像是一個大課堂，是一本我們永遠都讀不完的書，它需要我們不斷地翻閱。

命運是可以經由學習改變的

不少已經功成名就的人，便是因為知道學習的重要性，才能有今日的成績。

香港知名企業家李嘉誠之所以能夠成為世界華人的商業領袖，絕不是偶然的。他的一生，是「以學習改變命運」的最佳寫照。

李嘉誠因為家境貧寒，初中時就被迫失學。十五歲時父親去世，他因此負擔起整個家庭的生計。儘管他工作非常辛苦，但他知道，如果沒有知識、沒有學問，他將來就不可能在社會上立足。所以他白天當推銷員，晚上讀夜校。他到廢品收購站去買別人丟棄不用的舊教材，用舊報紙練習寫字，利用各種方式瘋狂地學習知識。

「當時我住在合群男子公寓，就是現在的銅鑼灣金堡大廈。每晚十二點就會熄燈。我因為上夜校又接著到工廠上班，每晚回來都摸黑走樓梯，一步步數樓梯數，數到一定的數字就知道回到宿舍了。」

李嘉誠青年時基本上沒受過正式教育，尤其是英語，可是他深知在香港做生意，不學好英語，就永遠沒有出息。經過刻苦學習，他的英語水準甚至比普通的大學生還要高。五十年代他做塑膠花生意時，訂閱了好幾種全世界最新的塑膠雜誌，以便能夠掌握最新形勢。在外國雜誌中，他留意到一部製造塑膠樽的機器，但從外國訂製太貴了，於是他憑著自學的英文研製了這部機器，成為他早年非常得意的事情之一。他又靠著自己當時還很不流利的英文，和外國人做生意，打開了國際市場。短短幾年，他就成了享譽東南亞的「塑膠大王」了。

至今，李嘉誠仍然有一個嗜好——每天晚上睡前閱讀，主要是社會科學類和科技類的書籍，偶爾也會涉獵哲學。透過閱讀，他累積了更多的知識，也讓自己立於成功的不敗之地。

沒被重用，是因為你會的還不夠

我有一個大學同學不滿意自己的工作，有一次他憤憤地對我說：「我老闆一點都不把我放在眼裡，改天我真的受不了就拍桌子走人！」

我問他：「你摸透這家出版社了嗎？把他們做暢銷書的竅門完全搞懂了嗎？」

我同學搖了搖頭，不解地望著我。

我給他建議：「我覺得你應該先把怎麼策劃選題、怎麼加工寫稿、怎麼寫封面文案、怎麼設計版型、怎麼做媒體推廣甚至怎麼取書名、列標題以及跟作者的溝通技巧等等完全弄明白了再走，甚至連怎麼修理影印機的小故障都學會，然後再辭職。」看著我同學一臉迷惑的神情，我接著解釋道：「這家出版社其實是一個免費學習和培訓的地方，你把什麼東西都搞懂了之後再一走了之，既可以出氣，又有收穫，何樂不為？」

同學聽從了我的建議，從此便默學偷記，甚至其他同事都下班之後，他還留在辦公室研究這家公司做暢銷書的方法和模式。

幾個月之後，我在聚會上碰到那位同學，便好奇地問他：「你現在大概都學會了，可以走人了吧？」

「呵呵！我是學會了不少，可是我發現這兩個月來，老闆對我好像比以前重視了，還替我調漲薪水，並讓我負責運作一本重點書的出版，我現在已經成為公司的紅人了！」

「哈哈！其實這我早就料到了！」我笑著說：「當初你老闆不重視你，是因為你能力還不夠，而你又不肯努力學習。在你努力學習以後，工作能力不斷提高了，當然會令他對你刮目相看。」

畢業這幾年裡，在工作中不被重用的時候，與其抱怨老闆，不如反省自己，找到學習的機會，提高自身的能力！

一句話，能改變你的一生

充電不是看著別人補習就跟著起哄，而是要有實用價值且有針對性地去學習。

充電是隨時隨地都可以進行的，讀一本書、與同事探討問題都是一種充電方式。

02 勇於迎接挑戰的人，才能跟得上時代

象牙塔裡的世界很安全，學生一直是被保護的對象，即使是二十幾歲的人，依舊可以生活在安全的環境裡。但畢業了，要從保護傘裡走出來，迎接屬於自己的人生，坦然地接受生活中的各種挑戰，在適當時候要勇敢地進行一些必要的冒險，從踏上這條路開始，讓勇氣一路隨行。

挑戰不可怕，可怕的是缺乏挑戰的勇氣

就業形勢日益嚴峻，職場中的每個人都不敢有一絲懈怠，唯恐「砸」了手中的飯碗。

今日的社會，已經不是論資歷、講輩份、可以常有喘息機會的輕鬆時代，隨時都會有突如其來的風暴把自己多年經營的夢想擊得粉碎，讓你無法面對。唯有勇敢迎接挑戰，不停地找尋自己的立足點，用加倍的努力來完成自己的使命，才能跟得上時代的發展。有兩個剛剛畢業的年輕人同時到一家運動鞋廠應聘。作為考察，公司派他們去非洲某個部落推銷新產品。兩個人都接受了這次挑戰，因為進入這家公司是他們共同的理想。

小張來到非洲後，看見人們都赤著腳，覺得很奇怪。他找到一位婦女並向她介紹他們的產品，婦女聽了不屑一顧地說：「真好笑，我們這裡的人從來不穿鞋。別費力氣了！」小張聽了之後，非常失望，趕忙打電話回公司總部，說這裡

的人根本不穿鞋，無法開拓市場。然後，他就離開了。

小李來到非洲後，面對同樣的問題，但他並沒有打退堂鼓。在遭到同樣的嘲弄之後，小李對一位婦女說：「妳先試試穿上這雙鞋走幾步，看看是不是比不穿鞋要舒服一些呢？」婦女照著他的意思做了，感覺確實舒服了很多。

有了這次成功的嘗試後，小李得到總部的支持，在這裡舉行了一次行銷活動。他找來兩批人，第一批人穿上他們的鞋子，第二批人不穿他們的鞋子，然後請兩批人進行跑步比賽。

第一批人由於穿了鞋子不怕痛，非常迅速地抵達終點。第二批人由於擔心腳下的沙石刺到腳，所以跑得很慢。由於事先請了媒體來報導，這個地方的人一下子都知道了穿鞋子的好處，貨很快被當地人一搶而空。

結果，小張回國後被公司辭掉，而小李不但被正式錄用了，還破例升了職。

畢業後面臨的各種挑戰並不可怕，可怕的是缺乏挑戰的勇氣。命運不是天註定的，沒有人能斷言你的成敗，關鍵是你是否有足夠的勇氣去迎接挑戰。

職業生涯中有時就是需要冒險

一九九八年，卡拉德大學畢業，獲得了市場行銷學位。他想成為世界五百大企業之一的石油公司成員。但是，這家巨型企業只招收碩士生和博士生，而且招聘過程極為嚴格，每一輪篩選都要經過專業機構的基本測試。僅有學士學位的卡拉德想進這家公司是很難的。

朋友們勸他說：「太冒險了，千萬別浪費時間！」

但卡拉德卻信心堅定。

儘管他認為自己在測驗時表現得很好，但是競爭太激烈了，面試名單中沒有他，這使得他很沮喪。為了參加面試，他專門研究過那家企業，對申請的職位有著十二分的衝勁。他苦苦思索，考慮著自己申請的職位、專業知識、能力和興趣，他要應聘的不過是一名市場人員，他是如此渴望成為石油公司的一員。時間一秒秒地過去了，他突然意識到，與其在等待中浪費時間，不如再爭取一次。於是，他發了一封長長的郵件給公司的人事部門，說：「為了到這裡工作，我已經做了好幾年的精心準備，因為我太愛這份工作了，可是你們為什麼不給我面試的機會呢？」

第二天，卡拉德很快收到了回信，他獲得了面試的資格，成為同批應徵者裡唯一的學士畢業生。經過層層選拔，卡拉德的「冒險行動」成功了！他如願以償地成為該公司市場部的一員，負責當地市場潤滑油的銷售工作。憑著出色的表現，卡拉德從二〇〇一年開始負責全美潤滑油零售業務。可是，那些學歷和資歷比他高的人會聽他的嗎？這無疑又是一次冒險。

卡拉德上任後，分析了潤滑油在銷售中存在的問題和可能的機會。他根據每位員工的資源和特點，安排各自負責的市場區域。因為決策正確，公司打破潤滑油在美國市場的占有率連年下降的局面，出現小幅度攀升。為此，他受到了那些學歷和資歷都比他高的下屬無數的敬佩和愛戴。

二〇〇五年年初，鑒於卡拉德的卓越戰績，石油公司CEO布拉德先生提拔卡拉德為這家公司旗下某公司的研究與工程部經理。之後，卡拉德在職業生涯中越做越輝煌。

卡拉德的職業經歷就像一場充滿了冒險的旅程，不是嗎？

要消除職場中的一切風險，是絕對不可能的，但你絕對可以試著進入一個自己陌生或略感不適的領域，並能取得非凡的成績，前提是你對冒險有清楚的認識。風險是客觀存在的，只有不畏風險，才能獲取成功。

一句話，能改變你的一生

世界上大多數人不敢走冒險的捷徑，他們寧願在平坦的大道上四平八穩地走著。這條路雖然平坦，然而距離人生瑰麗的風景卻是迂迴遙遠，永遠領略不到奇異的風光和壯美的景致。生命從本質上來說就是一種探險。如果不是主動地迎接風險的挑戰，便是被動地等待風險的降臨。

03 溝通：不僅要懂得聽，而且要聽得懂

很多人崇尚「沉默是金」的觀點，然而，在職場中大多數的時候沉默並不是金，因為沉默無法解決問題。想成為一個成熟的人、一個受歡迎的人，就必須懂得聽，而且聽得懂。

不善溝通將讓機會溜走

一個鐵鎖掛在鐵門上，鐵鉗費盡心思，使盡力氣也無法撬開。鑰匙來了，單薄的身子鑽進鎖孔，輕輕一轉，鐵鎖打開了。鐵鉗問鐵鎖：「為什麼我打不開你，她卻可以呢？」鐵鎖說：「因為她瞭解我的心。」

卡內基在他的著作中不斷提到，一個人的成就，百分之八十五決定於與人溝通的能力，而專業知識只佔有百分之十五。

溝通是什麼？溝通就是要交換彼此的想法，然後使雙方達成共識的過程。在現代社會，不善於溝通的人將失去許多機會，同時也將導致自己無法與別人合作。不管你是剛剛畢業，還是已經進入社會好多年，每個人都不是生活在孤島上，只有與他人保持良好的溝通，才能獲取自己所需要的資源，才能獲得成功。

擅於溝通讓你獲得更多機會

天霖大學剛畢業，他看到電腦銷售領域很有發展潛力，就找到父親認識的幾個比較有錢的朋友，希望得到他們的資助。那幾個人看他剛畢業，沒資金又沒經驗，對他想發展的領域又不熟，因此不願意贊助。但是，天霖沒有就此放棄，而是向他們陳述自己的構想，說當地人民收入水準上升，很多人想學電腦、買電腦，但這個地區賣電腦的只有幾家，而且服務不好。

他將自己的計畫、建議、選擇的公司地址等都向他們說明白了以後，那幾個人看他說得很有道理，並且考慮得非常周全，終於把資金借給了他。拿到這筆錢之後，天霖按自己的計畫創辦公司，銷售業務不斷上升，幾年的時間裡，不但還清了借款，還把公司的規模發展得很大。

天霖的成功正是溝通所帶來的，如果沒有與那幾個投資人有效地溝通，就不可能有以後的成功。

剛進入社會的你一定要記得，在求職的時候，主考官對你的印象常是決定錄取與否的關鍵。而且，職位越高，對語言表達和自述能力就要求越高，而溝通和表達的能力就是這些印象的重要組成部分。溝通和表達能力強的人，就越可能獲得工作的機會。

傾聽，也是一種說話方式

卡內基曾經說，一次他在紐約參加晚宴，碰到了一位優秀的植物學家。他從未跟植物學家談過話，於是凝神靜聽，聽其介紹外來植物和交配新品種的許多實驗。晚宴後，那位植物學家向主人極力恭維卡內基，說他是「最能鼓舞人」的人，是個「最有趣的談話高手」。然而，其實卡內基幾乎沒說幾句話，他只是非常注意地聽，由此可見，「聽」也是說話的一種方式。

事業上真正取得輝煌成就的傑出人物往往都善於傾聽他人意見。如果有人真的忙得無暇顧及傾聽他人的意見，那麼至少可以肯定地說，這個人不會合理地安排時間，或者可以說這個人心胸狹窄，聽不進他人的意見，到頭來一定會落得孤苦無依的下場。事實上，那些善於傾聽別人意見的人總是賓客盈門、朋友眾多，因為人們總是喜歡與尊重別人、平易近人的人交往。

在一次會議上，微軟總裁比爾．蓋茲受到嚴厲指責，一名技術員指出公司開發的網路瀏覽器滯銷。比爾．蓋茲略作沉吟，便承認了錯誤，並向與會者誠懇道歉，此舉也宣告了微軟經營方向的轉型。

比爾．蓋茲後來談起這件事時說：「我不想在面子問題上浪費時間，那是沒有意義的。我只想保持前進的動力。」

從當年青澀的年輕人一躍而升成為世界首富，這樣的成功並沒有塞住比爾．蓋茲的耳

朵，學會傾聽，無疑是他成功的重要原因。

邱吉爾說：「站起來發言需要勇氣，而坐下來傾聽，需要的也是勇氣。」成功者善於傾聽，他們的謙虛來自高度的自信。自命不凡、心胸狹隘的人，他們的自負實際上是無知的表現，無知會因閉塞而更無知。

自信是睿智的果實，睿智將因傾聽而更睿智。

掌握技巧和方法，溝通就能更順利有效

在當今社會中，無論是在工作、投資、還是在創業上，我們都需要別人的支援合作才有可能成功。而怎麼樣才能得到他人由衷的合作呢？這就要看你語言的表達能力和溝通能力了。

不僅如此，在婚姻生活上也是一樣，從交朋友到戀愛，以至結婚後的家庭生活，以及往後和子女的關係，都離不開溝通的藝術。

溝通是一種能力，而不是一種與生俱來的本能。本能是天生就會有的，而能力卻是要經過我們努力學習才會具備的。

其實，如果掌握一些溝通的技巧和方法，就足夠讓自己的工作順利進行。

在溝通之前，要讓對方做好準備。預先通知，可以給對方足夠的時間理清思路或者整

理一下可以提供給你的資訊。如果雙方都提前做好了準備，那彼此就能從溝通中得到更多的收穫。

與人溝通，一般情況下會使用語言和文字這兩種方式。例如：安排某些工作事項時，你有必要先打一通電話或發個傳真確認一下。書面資訊可以加強口頭資訊，因為人們的視覺比聽覺可以接收更多資訊。

建議你，可以按照下面的五個步驟來進行溝通前的預先通知：

一、先確認對方是否已經準備就緒
二、列出所要溝通的主要內容
三、整理背景資料
四、告訴對方溝通內容的重要性
五、告訴對方將從這次溝通中得到哪些好處

最後，在這裡提供一些會議安排時的注意事項。會議的目的是溝通，而準備會議與通知與會人員的過程更少不了溝通。透過參考以下的表格，你更能夠掌握該溝通的事項是否都已經溝通清楚了。

會議	具體的溝通內容。
地點	發布資訊的地點合適嗎？
	環境需要做什麼布置嗎？
	參與人員都通知了嗎？
設備	需要投影機、電腦、音響設備嗎？
	配套設備準備齊全了嗎？
	需要準備小冊子或是其他的小物品嗎？
時間	什麼時間開始、休息、結束？
	大概要進行多長時間？
	中間的活動、講話的時間如何控制？
書寫工作	所有相關資料都備齊了嗎？
	參加者都拿到了相關文件了嗎？
	所有的登記、記錄都有專人負責了嗎？
關於自己	請檢查你自身的準備工作是否已經做好。
	避免任何急躁、疑惑或壓力引發的情緒表現。
	提前五分鐘到場並檢查一下相關的細節。

一句話，能改變你的一生

嘴巴不只用來吃飯，還用來說話；吃飯是為了保住性命，而說話是為了表達想法。

耳朵不只是用來聽美妙音樂的，還用來聽不同意見，學會傾聽才能瞭解他人。

我們每天都會因為種種事情和許多人接觸，而每個人的脾氣、秉性、認知、興趣等都是不同的，因此溝通時難免會有不同意見發生，這個時候，如果不能有效地溝通，很容易就會引起爭論甚至互相攻擊，即使沒有互相攻擊，爭吵也會在雙方心裡造成陰影，影響進一步的交流。

04 合作，是通往成功的快捷鍵

縱觀社會上的成功人士可以發現，真正取得競爭優勢的人一定是一個善於合作的人，全靠單槍匹馬而穩操勝券的人並不是經常出現的，因為我們處在一個專業分工精細而又講究合作的時代。

木桶能裝多少水，取決於木板間的結合是否緊密

著名的「木桶理論」是這樣說的：「一個木桶能裝多少水取決於最短的木板長度，而不是最長的那塊。」這個比喻似乎還可以繼續引申：「一個木桶能裝多少水不僅取決於每一塊木板的長度，還取決於木板與木板之間的結合是否緊密。」如果木板與木板之間存在縫隙或縫隙很大，同樣無法裝滿水。企業就像木桶，其戰鬥力不僅取決於每一名成員的能力，也取決於成員與成員之間的相互協力、相互配合，這樣才能均衡、緊密地結合形成一個強大的整體。

過去人們一直在為世界上哪種植物最結實、雄偉爭論不休。有的植物雖然結實無比，但是不夠雄偉，有的則恰恰相反。直到有人提出了美洲的紅杉時，爭論的聲音才漸漸平息下來。

一般來說，越是高大的植物，它的根應當

扎得越深。但是，紅杉卻並非如此，它的根只是淺淺地浮在地表。根扎得不深的高大植物通常非常脆弱，只要一陣大風就能把它連根拔起，更何況是這麼高大的紅杉呢？但多少年來，紅杉無懼風雨巍然屹立。為什麼呢？原來，紅杉林往往長成一大片，彼此的根緊密相連，一株接著一株，一行連著一行。自然界中再猛烈的狂風，也無法撼動成千上萬株根部緊密相連、大片大片的紅杉林！

取長補短可以創造奇蹟

在一家房地產銷售公司裡，有兩個畢業後工作了幾年的員工，一男一女。男的先前在金融危機中剛剛被裁員，是另一家房地產公司的員工，口才一般。女的原本是汽車銷售業的人員，由於聲音較為嗲聲嗲氣，被以前的同事說是向顧客撒嬌而被辭退。但他們剛開始的業績都不盡如人意。

後來，他們兩個人由於私下關係比較好，都意識到自己的缺點正好是對方的優點。他們覺得應該合作，這樣可以讓各自的優點發揮到極致。男的對房地產行業十分內行，可以彌補女的對這個行業不太瞭解的缺點；而女的口才出眾，正好可以彌補男生這方面的缺憾。

這兩位在把自己的優點發揮出來以後，經過一年多的努力，很快就讓彼此獲得了很好的業績。雖然不是業內最優秀的銷售人員，但也是成績斐然的優秀員工。

「一個和尚挑水喝，兩個和尚抬水喝，三個和尚沒水喝。一隻螞蟻來搬米，搬來搬去搬不起，兩隻螞蟻來搬米，身體晃來又晃去，三隻螞蟻來搬米，輕輕抬著進洞裡。」「三個和尚」是一個團體，可是他們因為互相推諉、不懂得合作所以沒水喝；「三隻螞蟻來搬米」之所以能「輕輕抬著進洞裡」，也正是團結合作的結果。而團隊之間的相互合作總是可以創造奇蹟。

一句話，能改變你的一生

善於與人合作的人能夠彌補自己身上的不足，從而達到自己原本達不到的高度。三個臭皮匠勝過一個諸葛亮，唯有溝通、合作，才能產生更絢爛的火花。

05 精確的判斷力，來自曾經錯誤的判斷

在需要判斷的時候，必須做到迅速果斷。如果你在判斷的時候猶豫不決，就會喪失信心，並被外界的影響動搖，最終做出錯誤的判斷。這種猶豫不決只會使你與成功擦肩而過，成為失敗的俘虜。每當這個時候，你所要做的就是相信自己，排除雜念，把正確的意念堅持到底。

智慧從哪來？

一個年輕人問一個得道的智者：「智慧哪裡來？」智者說：「精確的判斷力。」年輕人又問：「精確的判斷力哪裡來？」智者說：「經驗。」年輕人再問：「經驗哪裡來？」智者說：「錯誤的判斷力。」

判斷力是行走在社會中的年輕人必備的素質和能力，年輕人必須敢拼敢衝，同時必須有敏銳的眼光。人生是在一連串的判斷下累積而成的，擁有正確且果斷的判斷能力，是一個人在競爭激烈的社會中所應具備的基本條件。

堅持自己的正確判斷

小澤征爾是音樂界最有名望的交響樂指揮家之一，在國際樂壇上享有至尊的地位。

在成名之前，小澤征爾有一次去歐洲參加指揮家大賽，在進行前三名決賽時，他被安排在最

後一個出場。輪到小澤征爾的時候，評委們給他一張他從來沒有指揮過的樂譜。

正在演奏的時候，小澤征爾突然發現樂曲中出現不和諧的地方。剛開始，他認為是演奏家們演奏錯了，就指揮樂隊停下來重新演奏一次，但仍覺得不自然。他又試了一次，結果還是一樣，他認為應該是樂譜出錯了。這時，在場的作曲家和評委們都鄭重聲明樂譜沒有問題，而是小澤征爾的錯覺。他被大家弄得十分難堪。

在莊嚴的音樂廳裡，面對幾百名國際音樂大師和權威人士，再怎麼專業的人都將不免對自己的判斷產生了動搖，但是，小澤征爾考慮再三，最終還是堅信自己的判斷是正確的。

於是，他突然大吼一聲：「不，一定是樂譜錯了！」

話音剛落，評委們立即起立對他報以熱烈的掌聲，祝賀他奪得冠軍。

原來，這是評委們精心設計的圈套，以此來檢驗指揮者在遭到權威人士「否定」的情況下，是否能夠堅定不移地堅持自己的正確判斷。

在小澤征爾之前，已經有兩個參賽者被淘汰了。其實，他們同樣也發現了這個錯誤，但是沒有堅持自己的正確判斷。所以，在這次的指揮家大賽中，小澤征爾成為唯一的勝利者。

在這個故事中，我們看到了小澤征爾對自己做出正確判斷的那種堅持和自信，他並不因為外界的影響改變自己的判斷。如果你也能像小澤征爾這樣的話，相信在畢業後的幾年裡一定能把握住讓自己成功的機會，成就精彩的人生。

掌握準確資料，自然能做出正確判斷

香港首富李嘉誠說過：「具有判斷力是成功的重要條件。凡事要充分瞭解，詳細研究，掌握準確資料，自然能做出適當的判斷。」

李嘉誠十五歲時，因父親病逝不得不中止學習，開始了打工生涯。第一次打工是在茶樓，後來在一家五金廠從事銷售工作。透過努力，他的推銷業績超越了所有同事，而且銷售量是第二名的七倍。因此，五金廠老闆對李嘉誠極為器重。

做了一段時間後，李嘉誠從塑膠業的興起中看出五金廠潛在的危機。他認為，塑膠製品易成型、重量輕、色彩豐富、美觀適用，將會很快代替眾多木質或金屬製品。因此，他決定跳槽去一家塑膠製品公司謀求發展。

五金廠老闆苦苦挽留李嘉誠，並提出要給李嘉誠升職加薪，但他婉言謝絕了，堅定辭職的決心。臨別時，出於善意，他最後一次幫老闆出謀策劃，他對老闆說：「以後，要嘛轉行做前景看好的行業；要嘛調整產品的種類，儘量避免與塑膠製品衝突，否則後果不堪設想。」

在李嘉誠的善意提醒下，老闆採納了他的建議，及時轉為生產系列鎖，才免於被塑膠製品打垮的厄運。李嘉誠敏銳的感受力和準確的判斷力，由此可見一斑。

一九五〇年夏天，李嘉誠經過反覆思考，用自己的全部積蓄和借來的五萬元港幣，義無反顧地開辦了長江塑膠廠，專門生產塑膠玩具和簡單日用品。後來，由於經營不善，生

意慘澹。七年後，李嘉誠及時調整了經營路線，轉產既便宜又逼真的塑膠花。

李嘉誠認為生產塑膠花比一般塑膠產品利潤要大，而且人們也喜歡用這種不需要費心培養的花來美化生活。為此，他專門去國外學習了塑膠花的調色和生產等技術，高薪聘請專家來設計產品。

玫瑰、櫻花、鬱金香、水仙等各種鮮花品種源源不斷地被生產出來，並遠銷歐美。李嘉誠成為香港塑膠花行業的領導者，並帶動了香港塑膠花產業的發展，使香港成為世界上最大的塑膠花製造基地，李嘉誠也被譽為「塑膠花大王」。

李嘉誠正是對市場前景做過詳細的調查，才做出正確的判斷並推出產品。否則，他絕對不貿然生產。

所以，每一次下判斷之前，先問問你自己對事情的掌握度夠了嗎？資料蒐集得夠齊全了嗎？如此一來，你會發現做出正確的判斷，其實並沒有那麼困難。

一句話，能改變你的一生

命運就像一個轉盤，總是將機會不斷轉給每一個人，只有懂得判斷的人方能抓住。判斷和成功就像是一對雙胞胎，判斷正確了，成功的機率就大得多；而你只要成功了，就會有更多需要判斷的機會呈現在你的面前。

06 會做事不重要，有腦袋才搶手

大部分年輕人同樣從學校畢業，同樣進入企業工作，誰比誰聰明、誰比誰幸運並不是最大的差距，最大的差距在於誰思考得多、思考得深、思考得對。「只有想不到，沒有做不到。」這句話絕對不誇張。靈光一閃的頓悟是一種思考，坐在書桌前默默沉思是一種思考，把自己的所讀、所想記下來、表達出來也是一種思考。思考，是大腦的建築工程，越常思考，在大腦建立起的思路就越多、越穩固，漸漸地，你思考的速度也就會加快。

你有沒有時間思考呢？

有的人畢業後，越來越懶惰，什麼事都不想自己思考，什麼東西都買「傻瓜牌」，等真正遇到問題時就束手無策，因為長期不思考會導致一個人喪失獨立思考的能力。

有一句俗話說：「腦子越用越靈活。」你思考得越多，你思考問題、分辨事物的能力就越強，進而也就比較有能力去處理事情。思考是一個人能力的展現，一個能夠獨立思考的人往往能夠得到上級的重用。這樣的人能夠獨當一面，而人云亦云的人則往往只是平庸之輩。如果不會思考，即使年齡達到了所謂的「成人」階段，心理卻依舊只是個小孩。

一句富有哲理的話這麼說：「這個世界不缺能做事的人，缺的是會思考的人。」為什麼有的人成就了偉業，有的人卻一輩子碌碌無為？其實，成功只是更青睞善於思考的人。

有一天深夜，著名的現代原子物理學奠基者盧瑟福教授走進自己的實驗室，看見一個研究生仍勤奮地在實驗台前工作。

盧瑟福關心地問道：「這麼晚了，你在做什麼？」

研究生答：「我在工作。」

「那你白天做了什麼？」

「我也在工作。」

「那麼，你整天都在工作嗎？」

「是的，老師。」研究生竊喜，似乎期待著盧瑟福的讚許。

盧瑟福稍稍想了一下，然後說：「你很勤奮，整天都在工作，這是很難得的。可是我想提醒你的是，你有沒有時間思考呢？」

世界著名的成功學大師拿破崙．希爾曾寫過《思考致富》一書。為什麼是「思考」致富，而不是「努力工作」致富？希爾強調，最努力工作的人最終絕不會富有。如果你想致富，就需要「思考」，獨立思考而不是盲從他人。

年輕人雖然活力四射，但精力也是有限的。大多數人生活狀態都是匆匆忙忙的，在鬧鐘的提醒中起床、吃飯、工作、回家，從一個地方換到另一個地方，事情做完一件又一件，好像做了很多事，但卻很少有時間從事自己真正想完成的目標。沒有思考，就不會有對生活的總結和感悟，就像一輛沒有月臺的火車一樣，完全失去了行駛的方向和意義。

思考，能把「不可能」變成現實

一九六五年，一位韓國學生到劍橋大學主修心理學。在喝下午茶的時間，他常到學校的咖啡廳或茶座聽一些成功人士聊天。這些成功人士包括諾貝爾獎得主，醫學、物理、化學等領域的學術權威和一些創造了經濟神話的人，這些人幽默風趣，舉重若輕，他們把自己的成功都看得非常自然和順理成章。

這位學生於是開始思考了，原來不是所有的人都有艱辛的創業歷程，甚至他懷疑，他被一些成功人士欺騙了。那些人為了讓正在創業的人知難而退，普遍把自己的創業艱辛誇大了，也就是說，他們用自己的成功經歷嚇唬那些還沒有取得成功的人。

作為研究心理學的學生，他認為有必要對韓國成功人士的心態加以研究。一九七〇年，他以《成功沒有你想像的那麼難》作為畢業論文，並將其提交給現代經濟心理學創始人威爾．布雷登教授。布雷登教授很高興這位學生以此作為研究項目，因為在此之前還沒有人涉足這個領域，所有的人都認為，想要成功並沒有那麼簡單，成功是一件必須經歷許多困難的事。

這本書鼓舞了許多人，因為它從一個新的思維角度告訴人們，只要你對某一個事業感興趣，願意積極的思考，一切皆有可能，而如果你只是接受現實，不從問題的不同面向去思考，那麼成功可能就與你失之交臂。

後來，這位善於思考的青年獲得了成功，他就是韓國著名企業——泛亞集團的總裁。

這位青年從新的角度思考問題，敢於挑戰權威，顛覆了人們的固有觀念。他以自己的智慧和勇氣將無比困難的事情變成可能的結果，進而走向了屬於他的卓越。

在日常的生活中要學會用嶄新的角度來看問題，也許你的想法很幼稚、很不成熟，有點不切合實際，但是又有誰能夠限制你，讓你不能按自己的想法去做呢？相信思考的力量，總有一天你會克服困難，將當初人們認為的「不可能」變成現實中的成功。

一句話，能改變你的一生

忙碌不代表收穫，不要讓低頭做事成為自己的座右銘，思考才是打開成功大門的鑰匙。思考並不是科學家、發明家和偉人的專利，每一個人都可以擁有思考的能力。

思考具有神奇的力量，它可以開啟心靈，激勵生命。當我們面對人生中的困難時，我們不可以輕言放棄，因為我們可以用思考來改變現有的狀況，當我們一無所有只剩一顆腦袋時，同樣可以開創屬於自己的人生。

07 成功與否，取決於「素質」而非「專業」

「朱元璋一開始是當和尚，最後成了皇帝」，學設計出身的香港導演王家衛，在面對大學生「如何看待專業與職業不符合」提問時的這個回答，雖是笑談，卻也發人深省。他提醒了我們，年輕人如果能不株守專業，則各種新機會就會「跳」出來。

專業不符也能成才

大學畢業生找工作，常常由於用人單位一句「專業不符合」而被拒之門外；若是找與專業對應的工作，要嘛缺額很少，要嘛就是缺額早就被別人搶走了，面對這樣的困境，只能慨嘆「就業難」。同樣，不少用人單位也發現，雖然畢業生源多量足，但堅持「專業相符」，要找到合適人才絕非易事，也只好抱怨「招人難」。究竟，專業與職業相符是否真的如此重要？

其實，專業不符合職業同樣可以展現出驚人的業績，同樣可以成才。除了一些特殊職位，一般職業直接運用課堂知識的機會並不是很多。再說即使是優秀的畢業生，四年中學到的知識也是有限的，因此他們必須經過專業的職位培訓後才能勝任工作。而如果再觀察一下幾位知名的成功人士，如：演員丹佐・華盛頓（獲得福德漢姆大學新聞學學位）、布萊德・彼特（只差兩學分就能在密蘇里大學取得新聞學學位）……更可以發

現事業的成功並非取決於一個人學的是什麼專業，而是取決於他的「綜合素質」。

你能從事的行業，比你想像的多

根據美國勞動部統計，平均每個人一生中會更換三次職業，你又怎麼能用大學所學的專業來規劃你的一生呢？

職業發展中最大一個祕密，就是擁有任何一個專業都能讓你獲得一份工作。即使每個專業所學到的知識為工作所做的準備程度不同，但從沒有哪種工作是因為你的專業不相關而遙不可及。

你擁有比你想像中更多的選擇。許多學生在選擇專業上的目光非常短淺，他們選擇專業時，單純是基於這個專業是否為通往理想工作的快車道。問題是，他們也許不喜歡這個專業，學習成效當然很差，而且還排除了從事其他職業的可能性。

的確，當你應聘一份工作時雇主會考慮你的專業，這主要是因為你的專業能讓他們知道你能為組織帶來哪些幫助。但是，有時其他因素，尤其是相關經驗，在選擇員工時更扮演重要的角色。

事實上，公司招聘人員所尋找的「十大特質」任何專業的學生都可能有。

這些特質是：交際能力、誠實、正直、團隊合作的能力、人際關係、動力、主動性、很強的職業道德、分析能力、靈活適應的能力、電腦技能、自信。

此外，在大學之後的階段，如研究所中的學習能提供專門技能，而實習能提供工作經驗。相對大學階段的學習而言，這些對找工作的影響更具有決定性。

創業者，通常是「不務正業」的人

一項調查顯示，理工類大學生選擇職業時注重專業與職業符合的僅占百分之十六，專業性很強的財經類、外語類畢業生注重專業與職業符合的也只有百分之三十和百分之四十二，這表明大學生在選擇職業時，專業對應意識正逐步淡化。

在這樣就業趨勢下，我們可以發現很有趣的一點：創業者往往是「不務正業」的人。這是因為，每一個新的產業誕生之際，由於過去沒有該產業的專業人才，因此也就成了「不務正業」者的創業樂園。新產業所帶來的大批新職位，要在短時間內要求從業者均為專業人員是不可能的，大量的「不務正業」者自然會進入新的工作職位，從而成為真正的創業者。比方說法律專業的比爾·蓋茲創造了電腦軟體「王國」，足以讓眾多的「科班出身」人士刮目相看。

一句話，能改變你的一生

各種學問皆有相通之處，重要的是要博採眾家之長並且融會貫通。

大學四年的教育是通才教育，只能學到最基本的知識、基本素質與基本方法，是難以培養出專家來的。一個專家的養成，從大學畢業後至少還要在實作中打拚十五至二十年。從這個意義上來說，當然也就不能把求職侷限於自己所學的專業範圍。

08 永遠不要在盛怒之下做決定

人不可能永遠處在好情緒之中，生活中既然有挫折、有煩惱，就會有消極的情緒。如果你在生某人的氣，儘管發洩，只是別在氣頭上輕言做出任何決定。因為在氣頭上所做的決定，往往會使你後悔莫及。氣頭上的任何決定多半引起負面作用，使犯錯的人喪失顏面與自尊，處罰不成反成自己的負擔。

生氣時，智商只有五歲

根據心理學家的測試結果，人在憤怒的時候，智商是最低的。在憤怒的當下，人們會做出非常愚蠢的決定且自以為是，也會做出非常危險的舉動。

有一位企業家，素以行事穩健著稱，即便每天身處在瞬息萬變的商場之中，他也幾乎沒有犯過什麼致命性的大錯，因此，他所經營的公司日漸成長。幾年後，他要退休了。

在榮退茶會上，記者們問他這幾十年來的成功祕訣，他只笑笑地說：「其實我沒什麼特別祕訣，我之所以能順利，是因為我懂得在憤怒的時候少說話、少做決定，所以我不容易壞了大事。」

短短的一句話，給在場的人上了重要的一課。

年輕人火氣旺，做事容易衝動。其實，不妨冷靜地回想自己過去在生氣時曾出現的情緒、念頭，或者觀察一些在盛怒中的人們，無論他現在是多大歲數，在氣急之時都會思慮不周全，言語也不知節制，所以表現也大多會失態，彷彿就像一個五歲的孩子一樣地不成熟。

就如同那位退休的企業家，他之所以能夠一路平穩、順利，不在於他有什麼樣的特殊手腕，而是他懂得在憤怒時少說話、少做決定，所以不容易出錯。因此，在平時工作中，我們也應效法他的態度。因為，我們在生氣時，智商只有五歲！

把氣發洩完了，再做決定

當別人犯錯時，在氣頭上反擊絕不是個好辦法。

一天，美國的陸軍部長斯坦頓來到總統林肯的辦公室，氣呼呼地說，一位少將用侮辱的話語指責他偏袒了某些人。林肯建議斯坦頓寫一封內容尖刻的信回敬那個傢伙。斯坦頓立刻寫了一封措辭激烈的信，然後拿給總統看。

「很好，很好！」林肯高聲叫好，「要的就是這個！痛快地罵他一頓！你寫的真是太絕了，斯坦頓。」當斯坦頓把信疊好裝進信封時，林肯叫住了他：「你要幹什麼？」「寄出去呀。」斯坦頓有些摸不著頭腦了。「這封信不能發，快把它扔到爐子裡。」林肯大聲地說：「生氣時的決定多半是不妥的。凡是生氣時寫的信，我都是這麼處理的。這封信寫得好，寫的時候讓你氣消了許多，現在感覺好多了吧？那麼就請你再消消氣，問問自己真的想以這種方式使你們的關係破裂嗎？有沒有更好的處理方式？最後，再重寫那封信吧！」

人活在世上，難免會有受氣的時候，如果把這種不滿的情緒積壓在心中肯定會造成一定的心理傷害，因為這是在拿別人的錯誤懲罰自己；況且如果在氣頭上進行反擊也不是最好的辦法。因為我們在生氣的時候，會失去理智，從而減弱對事物的判斷力。因此，請記住：「收斂怒氣，理智行事，謹慎決定」，如此方能不至於做出讓你後悔的事情。

如何控制和調節情緒

一個情緒不穩定的人，是成就不了什麼大事的；能自我控制情緒，調節心情，不僅能修身養性，而且有助於成就事業。以下便是幾個控制和調節情緒的辦法：

一、學會分散注意力

當怒氣快衝上你的腦門時，有意識地轉移話題或做點別的事情來分散注意力，可使情緒得到緩解。在餘怒未消時，可以透過看電影、聽輕音樂、出外散步等輕鬆活動，使緊張情緒鬆弛下來。

二、學會宣洩

如果你有什麼不愉快，不要悶在心裡，可以向你的知心好友和親人傾訴。這麼做可以幫助你釋放積於內心的鬱悶。不過，發洩的對象、地點、場合和方法要適當，避免傷害他人。

三、運用短語提醒自己

每次在情緒激動時，可以默誦或輕聲警告自己「冷靜些」、「不能發火」、「注意自己的身分和影響」等，抑制自己的情緒；也可以針對自己的弱點，預先寫好「制怒」、「鎮定」等紙條置於桌前或掛在牆上。

四、用愉快的記憶沖淡怒氣

可以回憶過去的愉快經驗，特別是回憶那些與眼前不愉快體驗的製造者相關的愉快體驗。

五、轉換環境

如果你處在激動的狀態，可以暫時離開激起情緒的環境和有關的人事物，如此可以避免造成傷害，也可以讓自己冷靜下來。

一句話，能改變你的一生

凡是衝動的人，一定要認識到自己的莽撞行事只會帶來更多更大的麻煩。

生氣的時候不要做任何決定，因為那時的你智商只有五歲。

09 變形蟲到哪裡都受歡迎

社會對人才的需求正在發生變化，技術的實用性、應用性、時代性、可持續性和文化多元性等已經漸漸地受到企業關注。在這種趨勢之下，那些只掌握單一專業的人，發展空間將越來越小。如果你在畢業後還想保持自己的競爭力，就要當複合型人才。複合型的人才就好像一隻變形蟲，走到哪裡變到哪裡，因地制宜，讓自己很快的融入環境，不受困在單一環境中。

說變就變，到哪裡都搶手

「二十一世紀最缺的是什麼？人才！」而「二十一世紀什麼最貴？還是人才！」

企業所需的人才要有技術、有專業知識，才能適應市場發展、經濟變遷。

而具有一項專業技能，並在其他領域有特長的複合型人更是市場上最缺乏，企業又求之若渴的人才類型。

複合型人才就是多功能人才，其特點是多才多藝，能在很多領域大顯身手。當今社會的重大特徵是學科交叉、知識融合、技術集成。不僅要求員工在專業技能方面有突出的表現，還要具備較高的相關技能。比如隨著IT技術融入銀行、保險、證券之中，那麼，通曉金融、IT兩大領域的金融業人才就是複合型人才，而這類人才將在未來幾年內十分搶手。

讓自己變成「木型人」

我平時在進行企業內部培訓時，特別喜歡用以下這個圖來表示社會發展相應要求的幾種人以及他們相對的知識結構。

I型：深度夠但是廣度不夠

一型：廣度夠但是深度不夠

T型：廣度和深度都夠，但是不敢冒險一型

十型：掌握的專業技能還不夠多

π型：適合目前社會的人才類型

木型：未來世界需要的人才類型

一、「I」型

這種人只有專業技能，但知識面很窄，深度夠但廣度不夠。就如同在原始社會，男人掌握狩獵或女人掌握織布就可生存一樣，到了現在社會已經過時。

二、「一」型

這種人能力很全面，能夠博採眾家之長，但缺乏深入地研究和創新。也就是廣度很夠，專業能力卻不強。

三、「T」型

這種人不但有一門專業技能，還有較寬廣的知識面，在做專業性工作時能有比較深入的研究。但是，他們的缺點是不能成為開創者，沒有創新的能力。

四、「十」型

這種人既有較寬的知識面，又在某一點上有較深入的研究，他們適應能力強，敢於出頭、開創新機，有很強的創新精神，但是掌握的技能還不夠多。

五、「π」型

這種人有較寬廣的知識面，同時具有兩種或兩種以上的專業技能。這種人能同時做好多種專業性工作，在目前市場經濟中有較強的適應性。

六、「木」型

未來世界對人才的要求越來越多元。「木」由一豎一橫一撇一捺組成。一豎代表大學專業，一橫代表綜合素質，一撇和一捺可以代表畢業後自己進修的兩種能力，比如電腦和英語。我覺得，這樣的人集合了前面幾種人才的優點，是真正的複合型人才。

「人材」不夠看，「人財」才是王道！

市場經濟千變萬化，人才的需求也隨之不斷改變。來自人才市場的資訊已表明，現在的市場對英語人才的需要已經由原來的純英語人才轉向更青睞法律英語、金融英語等複合型人才；IT行業更是如此，由原來的單一IT人才轉向更看重IT＋管理、IT＋產品研發等複合型人才。由此看來，單一型人才的地位就難以保住了。

一般說來，員工可以分成以下幾種類型：

一、人裁

經過面試就被淘汰、未滿試用期就被淘汰、在企業發展過程中因消極被動而被淘汰，這樣的人往往表現的消極被動，能力很差，沒有太多的利用價值；他們不喜歡自己的工作，不想認真努力也不願意接受他人管理。

二、人材

這種人往往態度表現很積極，但由於對企業、產品、市場的瞭解不夠深入，實戰經驗和能力只是一般般。他們基本上完全依靠上司的管理和同事的協助，工作情緒化比較明顯，主動思考、分析和解決問題的能力比較差。

三、人才

這種人往往在工作上表現的積極主動，對企業、產品、市場的瞭解深入，實戰經驗和能力較強。但獨善其身是缺點，需要上司或其他人經常提醒。

四、人財

這種人在工作上表現的往往是熱情忘我，能力卓越。做事情總是自動自發、一絲不苟，習慣於帶領培訓和影響他人。

仔細對照一下，你現在屬於哪種類型呢？未來的世界裡，你又想成為哪種類型呢？

成為複合型人才的四大關鍵

複合型人才之所以吃香，就在於「複合」二字。所謂「複合」，是指知識、技能和思維等方面的複合。想成為一個複合型人才，需要從以下四個切入點著手：

一、快速複製知識

知識複製不是簡單的知識「拼盤」，而是將各類知識進行融合，相互補充、相互滲透，促進交叉知識、邊緣知識在頭腦中生成。可以跨專業、跨領域學習，接受不同學校、不同地域、不同專業的學習，打破人為的專業「藩籬」，讓知識自由流動。

二、學好外語

現在我們與外國人的交往日趨頻繁，所以當然必須會外語，既要會「讀」，又要會「說」、會「寫」。不僅要掌握一門外語，如果學有餘力，還要掌握第二外語、第三外語。因為國際性的對外開放是全方位的，是面向世界所有國家的。

三、熟練電腦技能

專業人才向複合型人才轉化，不僅要能夠熟練地操作電腦，還要結合專業和工作，學會程式設計和視覺設計，進行上網學習和交流，瞭解本職專業和相關專業的狀況及發展趨勢，利用網際網路交友，也能進行大型工程的協同作戰。電腦已成為複合人才必不可少的技能。

四、思維轉換

大力進行發散型思維訓練。面對同一個問題，要想方設法從不同角度去思考，得出多種不同的結果，拓寬思路。面對不同領域的知識，要善於運用發散型思維，並將思考結果加以比較，找出異同點，將知識和資訊加以對比、連接。

一句話，能改變你的一生

多一門技藝，就是給自己多開一扇方便之門，不但有活路，而且有財路。

複合型人才，不僅是在知識上要複合，專業技能要複合，思維模式上也要複合。

黃金課程第4堂

成功方程式

成功也能從山寨複製開始

或許你總是想著自己要到何時才能像媒體上的名人，有自己的企業，用著數也數不完的金錢，開著名貴的車，但卻不知功成名就需要花多少時間以及多少經驗的累積。其實成功是有訣竅的，你可以從成功方程式的操作中成就自己，成功人士所擁有的特質與腦袋，可以讓你徹底改頭換面。

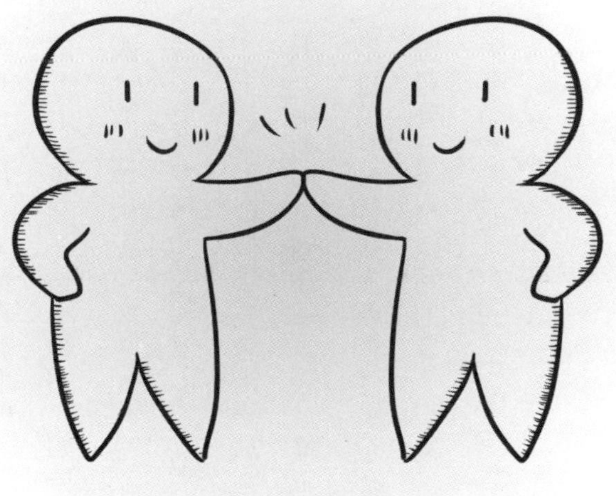

01 滾雪球理論：小事往往成就大作為

人生旅途，就如同在雪地行走。或許，在你畢業後這幾年，天空飄著的幾片雪花被你幸運地抓到手裡了。可是這樣你就滿足了嗎？人生需要堅持與累積，所有成功的「大雪球」都是為專注與堅持的人準備的。巴菲特說：「人生就像滾雪球，最重要的是發現很濕的雪和很長的坡。」從這幾年開始，讓自己沉澱下來，「雪花」會很快融化，「雪球」才能滾得更遠、滾得更大。

堅持與專注就能成功

畢業後的五年是人生的沉澱期。你人生的「天空」可能會飄來幾片成就的「雪花」，從而讓你欣喜不已，因為你的努力終於有了回報。但是，這樣你就滿足了嗎？是否就開始過著「知足常樂」的生活？你要知道，這幾片「雪花」可能會很快融化在你的手掌心，繼而變成水氣重新飄回空中。

不想讓「雪花」變成水氣，你就要等待更多的「雪花」，讓它們堆成一個小「雪團」。可是，小「雪團」是不夠的。如果你把這個小「雪團」放在平地上，它可能永遠都是小「雪團」，當然更會在陽光的照射下漸漸地消融。

只有把這個小「雪團」放在一個高高的雪坡上，用力把這個小「雪團」推下去，然後再不斷地推著它往前走，我們才會發現這個小「雪團」擁有著超乎想像的力量。因為，它在快速的滾動中漸漸地變成了一個巨大的「雪球」！

現在的我們，可能擁有的就只是幾片「雪花」或者是毫不起眼的小「雪團」。但是，如果我們不斷地去累積，就能讓自己人生的小「雪團」不斷吸收新鮮的「雪片」，慢慢地就有了成為大「雪球」的可能！

成功有沒有「祕訣」？有！就是堅持與專注！

把他人的經驗放進自己的口袋

二〇〇九年一月，某天我在火車上讀了《巴菲特傳》，裡面講述了這樣一個故事：

一九三九年冬天，九歲的巴菲特和妹妹在院子裡玩雪。巴菲特用手接著雪花。一開始是一次一片；接著，他把少量的雪堆積在一塊兒，揉成一個雪球。雪球變大之後，巴菲特把它放到地上，推著雪球慢慢滾動。巴菲特每推一下，雪球就會沾上更多的雪，從而變得越來越大。他推著雪球滾過草坪，來到了院子邊。片刻的猶豫之後，他繼續向前，推著雪球穿過附近的街區。

從那裡開始，巴菲特一直朝前行進，把眼光投向白雪皚皚的整個世界，巴菲特說：「複利就像從山上往山下滾雪球。」在以後的人生中，巴菲特一直遵循著這種滾雪球的信念，不管是他的人生還是財富上，他都是一個「滾雪球」的高手。

當時，看完這個故事後，我受到很大的啟發，第二天，就趕緊做了兩件事：

第一件事是，因為正值春節期間，該發簡訊拜年了，我就根據「滾雪球」寫了一則簡

訊：「人生就像滾雪球，後面的成功來自前面的累積，個人的榮耀依靠大家的支持。願您在新的一年裡，像巴菲特一樣富足，像歐巴馬一樣勝出！恭祝您新年快樂！」

第二件事是，我對巴菲特所說的「人生就像滾雪球，最重要的是發現很濕的雪和很長的坡」進行了思考，問了自己兩個問題：「畢業幾年了，你現在是抓著幾片雪花，還是已經滾起了雪球？」、「新的一年裡，你如何讓人生雪球滾得更遠、滾得更大？」

巴菲特的故事使我了解到：不管是財富還是人生，成功的過程都像滾雪球。在畢業這幾年裡，你要是能夠比別人多付出一分努力，就意味著比別人多積存了一分資本，也意味著比別人多一次成功的機會。

成功沒有固定的公式

我讀過這樣一則故事：

在太平洋兩岸的美國和日本，有兩個年輕人都在為自己的人生努力著。

美國人整天躲在租來的地下室裡，把數百萬根的股票K線一根根畫到紙上，然後貼到牆上，眼睛眨也不眨地盯著這些K線。他一邊看，一邊靜靜地思索，似乎想從這些線裡發現什麼規律。後來，他乾脆跑到美國證券市場，把證券市場有史以來所有的紀錄都抱了回去。在狹窄的地下室裡，他廢寢忘食地研究著這些雜亂無章的資料，努力尋找著一些規律性的東西。由於整日研究這些東西，他的生活很拮据，很多時候只能靠朋友的接濟勉強度日。

在大洋彼岸的日本，那個日本人每個月都把自己的薪水和獎金的三分之一原封不動地存入銀行，雖然很多時候他的生活也有些拮据，但他仍咬牙堅持、照存不誤，有時實在堅持不下去了，他寧可借錢也不去動銀行裡的存款。

兩個年輕人在各自的世界裡繼續了六年的生活。六年裡，美國人集中研究了美國證券市場的走勢與古老數學、幾何學和星象學的關係，而日本人則靠著頑強的毅力儲蓄了五萬美元。就在這個時候，美國人發現了有關證券市場發展趨勢的最重要預測方法，從而靠著自己發現的「控制時間因素」理論成為白手起家的神話人物。他，就是「波浪理論」的創始人威廉·甘。與此同時，日本人靠著自己在艱苦歲月裡仍堅持累積財富的經歷打動了一位赫赫有名的銀行家，從而獲得了一百萬美元的貸款進而創立了自己的公司。他，就是麥當勞在日本第一家分公司的老闆，藤田田。

看完這則故事，你肯定在想我會用什麼樣的理論來解釋日本人和美國人比較起來，誰更聰明、更成功。沒錯，這是兩個結局截然不同的故事，但我並不是想拿兩個人來做比較，而是想告訴你，成功沒有定式，沒有所謂的秘訣，也沒有所謂的捷徑，成功需要的只是一點一滴的累積。

把過去與未來放在同一條線上經營

滾雪球，除了要堅持，還要有正確的方向。那些取得成就的人，最大的成功因素就在於他

們為自己量身定製了科學性的職業生涯路線，並不斷地進行矯正，然後堅定不移地走下去。

一個人的職業生涯路線，通常有兩種：一種是「籬笆式」，一種是「螺旋式」。

【籬笆式職業生涯】

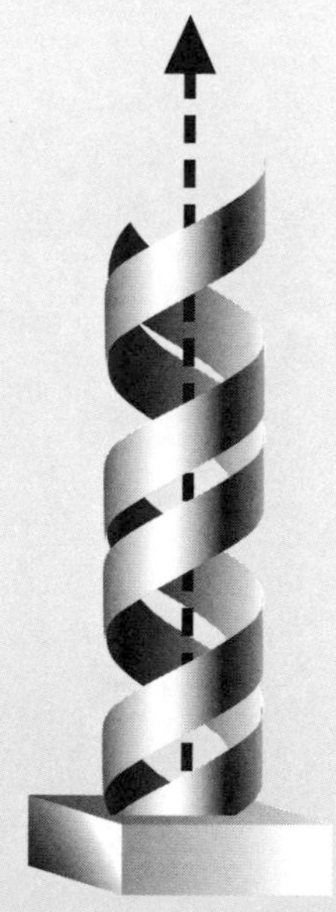
【螺旋式職業生涯】

「**籬笆式**」就是指在人生的不同階段，從事各種不是很相關的行業、職業，看起來人生經歷很豐富，但事業能力並沒有什麼制高點。比如說，可能前十年從事的是銷售，接下來的五年從事的是技術支援，之後的八年做的是服務，繼而又做了三年的祕書……，猶如籬笆的豎條，雖然整齊排列，但卻沒有什麼特別出色的地方。

「**螺旋式**」指的則是在人生的不同時期，雖然從事了很多份工作，但這些工作都有相關性，也都是同一種職業或同一種行業，並且不斷地向上推進，如同螺旋一樣上升。比如說，做銷售，從普通的銷售員到單位主管，從單位主管到公司的總監，從公司的總監到亞洲區銷售經理……，儘管處於不同的職位，但都和銷售有關。如此一來，保持了職業的連續性，不僅是建立起來的人脈等資源不會浪費，努力也不會作廢。

一句話，能改變你的一生

不思進取的人喊著「知足常樂」的口號，站在成功的對岸，看著成功漸行漸遠。不甘平庸的人秉承「絕不苟且」的信念，走出巴掌大的天空，改變了自己的命運。

三十歲很重要，或者說畢業這五年很重要！李嘉誠從塑膠花做起，到擁有長江實業集團；王永慶從小米鋪做起，到擁有台塑集團；J.K.羅琳從靠失業救濟金生活，到成為「史上最暢銷作家」……。巴菲特之所以能成為世界首富是因為他的專注與堅持，比爾．蓋茲也贊同這種觀點。上面這些人，無不是經過「滾雪球」的過程才取得成功。

02 工作價值＝個人能力×職業化程度

在大學裡學什麼專業並無法成為你畢業後在職場制勝的決定因素。大學只是教會我們做人做事和學習方法，即使是優秀的畢業生，四年中學到的知識也非常有限，必須經過職場中一步步的培訓後才能勝任相關工作。事業的成功並不取決於你學的是什麼專業，而是取決於你的職業綜合素質。

什麼是「職業化？」

每個大學生在大學裡都有各自的專業，都修習過各種課程，但是，當進入職場之後就會發現自己的專業好像派不上用場，大學時所學的專業跟實際的工作有著很大的差距。

這是因為我們總停留在「專業化」的邊緣，而沒有把自己「職業化」。

那麼，什麼是職業化呢？職業化就是工作狀態的標準化、規範化、制度化，即在合適的時間、合適的地點用合適的方式説話、做事，使知識、技能、思維、態度等符合職業規範和標準。

職業化的作用是為了要與個人能力相輔相成，即：工作價值＝個人能力×職業化的程度。職業化程度與工作價值成正比，如果一個人有一百分的能力，而職業化的程度只有百分之五十，那麼其工作價值顯然只發揮了一半。

專業化不夠，還要「職業化」！

我剛開始工作時，因為當時所在的公司不大而且成立也沒多久，幾乎什麼差事都要做，再加上是「科班」出身，於是我有一段時間覺得自己非常「專業」，也認為自己在公司裡的地位「不可替代」。於是，漸漸地，我那顆年少輕狂而且渴望追求成功的心就開始浮躁起來，工作也沒有像以前那樣關注細節和追求完美了。

當然，這一切都被我的老闆看在眼裡。

有一天，老闆把我叫進他的辦公室。等我坐定後，他拿起桌上的一份資料給我，接過來一看，是一份關於公司的經銷商銷售能力等級的量化分析，裡面有各種各樣的表格與資料，看得我一頭霧水，搖著頭說看不懂。這時老闆開口了，他講述了這個分析的意義在哪、該怎麼看、要如何得出有用的資料、該採取什麼行動……，我聽得相當驚訝，原來，我還有這麼多東西都不懂呢！

最後，我的老闆對我說了這樣一段話：「每個行業裡都有很多出色的人才，他們之所以能有亮眼的表現，是因為比別人更努力、更成熟、更有智慧。但最重要的是他們比一般人更加職業化！這就是為什麼我現在能當你老闆的原因。一個人僅僅專業化是不夠的，只有職業化的人才能飛在別人的頭頂，讓人難以超越！」

「職業化的人才能讓人難以超越！」就是這一記當頭棒喝，讓我對於工作與職業規劃有了全新的認識。

職業化推你走向成功

你知道嗎？《笑著離開惠普》一書的作者高建華就是一個讓自己「職業化」的人。

從在大學中執教，到中國惠普的前助理總裁、首席知識總監（CKO），再到如今業界的諮詢專家，高建華二十年的職業生涯可以用「傳奇」二字來形容：一九八六年，高建華進入中國惠普，歷時八年成為中國惠普市場總監；一九九四年，高建華出任蘋果公司中國區市場總監；一九九六年，高建華回到中國惠普，擔任測量儀器分部市場總監；一九九九年，惠普與安捷倫分家，高建華出任安捷倫測量產品集團全球市場總監；二〇〇一年，高建華回到中國惠普，出任助理總裁兼首席知識總監；二〇〇三年，主動從中國惠普離職，創建匯智卓越企業管理諮詢有限公司。

高建華「三進三出」惠普的經歷，足以說明一個人進行職業化的重要性。

在惠普，高建華一步步地被職業化，被刷成了「惠普色」然後融入了惠普，也從惠普中獲得許多收穫。現在，雖然他已經離開了惠普，但是惠普的職業理念仍然影響著他，讓他走向更大的成功。

職業化是一個逐漸自我認識的過程。相信絕大部分的人，包括高建華，也是一步步不斷醒悟與整理，最後進行從「專業化」到「職業化」的跳躍。如果你還沒讓自己職業化，現在起步也不嫌晚，相信職業化將會為你自身的成長創造更大的機會和空間。

一句話，能改變你的一生

請脫去可愛的學生裝，穿上正式服裝，運用你的真正能力，證明自己在職場上的真正價值。

香奈兒創辦人曾說過：「你可以不穿香奈兒，但你必須穿出自己的品味。」打扮代表著品味，也代表著第一印象給人的觀感，邁入職場的第一步，由第一觀感開始改造。

03 創造自己在企業中存在的價值才是王道

千百年來，人類正是在不滿足現況的條件下不斷探索、不斷追求、不斷發展，才有了今天的文明。剛剛畢業的你，一定要記住：財富始於野心，成功源自欲望。上天創造天使的同時，也派來了撒旦。但是，失敗並不可怕，可怕的是失去了欲望。不能滿足已有的「溫飽」，懂得「追求享受」的人才永遠有飯吃。

別讓自己「貶值」

一個人從學校進入社會，沒過幾年就會被社會這個大染缸給染成同樣的顏色，然後，會對於好不容易在一個城市裡扎根下來的安穩和生存條件產生一種「且行且珍惜」的想法，覺得反正已經保證能「生存」了，再繼續謀求發展太累了。我們生活在一個加速度的時代：加速度的時間、加速度的工作、加速度的知識更新，處在這樣一個高速發展的社會中，為避免使自己陷入「貶值」的境地，我們就必須意識到「創造價值才是王道」。

即使未來充滿了不確定，也要有賭上一把的氣魄！

上帝把兩個鄉下的年輕人帶到了城市。他們領略了城市文明的輝煌，留在了城市裡。其中一個年輕人為了在城市中站穩腳跟，就努力地付出著：幹起活來不怕髒、不怕累；用省下來的錢購買了樓房和汽車；有了孩子之後，把孩子送到學校接受教育。他總是對子女們說，自己是如何努力才使全家人能過著體面而富裕的城市生活，高談要不是因為他的努力，全家人此時還在鄉下過日子。他對他的生活和家庭很滿意，認為自己擺脫了窮困落後的小山村。

另一個年輕人也很努力，但他拿著省下來的錢去接受教育。他不斷努力，從工作中總結經驗，形成了自己的一套理論。年輕人沒有貪戀城市裡的生活，而是回到了故鄉。他把自己學到的知識傳授給鄉下的人，並帶領他們創業。幾年後，鄉村變成了富裕的小鎮，家家都能接受良好的教育，都有自己的房子和汽車。人們為了感念他，將小鎮以他的名字命名，還選舉他作為第一任鎮長。

後來，兩個人都老了，鬚髮皆白。他們在兒女幫助下重新聚首，感慨萬千。這時，上帝來了。他們兩個爭著向上帝表白。上帝搖手示意說不用了。上帝跟那個定居於城裡人說：「你留在城裡，在平庸中消耗生命，還洋洋得意地誇耀。而和你一起進城的夥伴，現在背後卻有一個富裕的城鎮在支持著，他成就了非凡的一生，而你只能庸庸碌碌地過一輩子。」

平庸與偉大的差別是：一個滿足於生存權，一個追求發展權。只知道讓自己「生存下去」的人只求溫飽無憂，停留在平庸的層次；懂得讓自己「發展起來」的人，則達到偉大的高度。

一句話，能改變你的一生

有的人為生存而雀躍，目光總是停留在當下，兩天打魚三天曬網，有始無終。

有的人為發展而奮鬥，目光總是望向前方，每天進步一點點，堅持不懈。

記住，當你正在睡覺時，有人卻努力的學習著。做任何簡單的事情，持續做就會不一樣。

04 你現在只有「小聰明」，但生活需要「大智慧」

想在這個社會上生存和發展，特別是對於剛剛畢業的你來說，僅僅有某方面的技術是不夠的，還要有思考事情的方法；僅僅有某方面的專長也是不夠的，還要有駕馭生活的能力；僅僅有生存的「小聰明」是不夠的，還要有人生的「大智慧」。也就是說，在畢業後這幾年培養起來的人格特質，會在你的生命中起著非常重要的作用。

聰明總被聰明誤

剛剛畢業的這幾年，也許你擁有並累積了一些生存上的「小聰明」，但這是遠遠不夠的，因為聰明總被聰明誤，容易讓你把春光看成是秋風，用自造的淒涼來折磨自己。你必須在這幾年裡逐漸培養起人生的「大智慧」。

一個人最珍貴的特質有兩種，那就是「善良」與「智慧」。智慧若是與善良結伴，那便是「大智慧」；智慧若是孤獨前行，那就只能是「小聰明」。人生需要的是大智慧，最忌諱的則是小聰明。

有大智慧才有大境界，才有大美麗，才有大人生，大人生才是至誠至善的人生。而小聰明總會暴露出個性上的弱點，而個性上的弱點總會造成人生的侷限，因此小聰明造就的人生是支離破碎的人生。

從小地方，可以看到大格局

我聽過一個故事，有一名在德國留學的學生，畢業時成績優異，便留在德國四處求職。拜訪過很多家知名的大公司，全都慘遭拒絕，使得他既傷心又惱怒，卻又沒有別的辦法，為了不餓肚子，他心一狠、牙一咬，收起高材生的架子，接著選了一家小公司去求職，心想，無論如何這次不會再被有眼無珠的德國人趕出門了！

結果呢？小公司雖然小，仍然和大公司一樣很有禮貌地拒絕了他。高材生忍無可忍，終於生氣地拍了桌子說：「你們這是種族歧視！我要控告你們……」

對方沒有讓他把話說完，低聲告訴他：「先生，請不要大聲說話，我們去別的房間談談好嗎？」

他們走進無人的房間，德國人請憤怒的留學生坐下，為他送上一杯水，然後從檔案裡抽出一張紙，放在他面前。留學生拿起來看了看，是一份記錄，記錄他乘坐公共汽車曾逃票三次。他很驚訝，也更加氣憤，想不到原來就是因為這麼點雞毛蒜皮的事，小題大作！

在德國，逃票一般被查到的機率是萬分之三，也就是說逃一萬次票才可能被抓到三次。這位高材生居然被抓到三次，這在既嚴肅又嚴謹的德國人看來，那是永遠不可饒恕的。

一個人在三毛兩角的蠅頭小利上都靠不住，還能指望在別的事情上可以被信賴嗎？一旦受到誘惑，怎麼能相信他不會出賣公司的利益呢？一旦將銀行的錢借給了他，他會如期償還嗎？一旦簽了合約他會不折不扣地履行嗎？

因此，在平時的生活和工作中不要以為自己很「聰明」，有些「小便宜」會給職業生涯帶來潛藏的地雷。而真正有智慧的人，一定要有好人品、好德性。

一句話，能改變你的一生

小聰明的人最得意的是「自己在做什麼」，大智慧的人最明白的是「自己要做什麼」。小聰明是戰術，大智慧是戰略；小聰明看到的是芝麻，大智慧看到的是西瓜。

在這個世界上，既有大人物，也有小角色，大人物有大人物的風光，小人物有小人物的瀟灑，每個人都有自己的生活方式，誰也勉強不了誰，但是，誰都得面對「小聰明」與「大智慧」的格局分野。「小聰明」只能有小成績和小視野，「大智慧」才能有大成就和大境界。

05 「小空間」不夠，你還需要「大平臺」

要提醒自己不能一直在一個小空間裡「穩定」下去，而是要有勇氣去尋找更大的職業平臺，這樣你的眼界才會更寬、資源才會更多、能力才會更強。

懂得墊高你的職業平臺

年輕人擁有不斷嘗試的本錢。進入一家小公司發展，過了一段時間，在合適的時機就可以選擇前往大企業歷練一下，以學習大公司的運作模式。根據自己各個職業階段的需求和定位做出合適的選擇，你的能力將會更加全面。

不能一直在一個小空間裡「穩定」下去，而是要有勇氣去尋找更大的職業平臺，這樣你的眼界才會更寬、資源才會更多、能力才會更強。

對於一個人的成長，大公司就像九年義務教育，小公司就像案例教學，各有各的好處。只是，在不同的發展階段，應該依照自己的發展採用適合自己的方式。

不滿足於「小空間」，而尋找「大平臺」，不單是說從小公司到大企業，而應該也要尋求更多的可能性、更多的挑戰，甚至再從大企業離開也是尋找人生更大「平臺」的表現。你一定要在需要提升的時候，懂得墊高自己的「職業平臺」，這樣才能讓自己的生命更加豐富多彩。

隨時都要有轉換跑道的準備

當年，我在做第一份工作的時候，還是一個在校大學生。但到了畢業的時候，我便已經當上了公司的部門主管。這在很多同學和周圍的朋友看來，已經相當不錯了。

畢業的時候，我面臨著一個選擇：是要留在這個熟悉並且已經遊刃有餘的環境繼續往上爬，還是選擇離開這裡，到一個陌生但視野更寬、舞臺更大、平臺更高的大型企業從頭開始？

有人勸我留下來，因為這裡既是我的轉捩點也是我的一個新起點，看得到美好的前景，而且找到這麼一份工作不容易。這裡的空間已經夠我「折騰」了，累積了兩年的經驗，同事、長官、客戶都很熟悉了，做起來多順手啊！

我內心也一直在掙扎，周圍的很多同學都還沒有找到工作呢，我卻尋思著換一個地方，這是不是太不懂得珍惜了？萬一辭職後找不到更好的地方怎麼辦？

剛好，那年的六月，我認識的一位作者在我當時任職的公司出版了幾本書，因為他想在當地的幾所學校舉辦一個簽書活動，就委託我幫一下忙。就這樣，帶著一大堆書，我在各個有名的大學間來回奔波。客觀地說，這幾本書都不錯，當時也請了幾位名人前來「撐場面」，但是，書的銷售情況卻不是特別好。這使得我們有點沮喪，也有點想不明白。

回到公司，我跟一位電臺主持人聯繫，聊起了這件事。主持人說了一句話，讓我突然明白了。「你們的書是做得不錯，不過名氣還不夠，因此對別人的吸引力也就不夠了！」

我想了想，的確如此。當時我任職的公司不過是很普通的一家出版社，對於知名大學的學生來說，根本很少有人知道。對於我來說，在這間出版社的發展雖然還有一定的空間，但就像是金字塔，越到上面，好的職位越少，競爭也越激烈，這間公司真正能給我的東西可能也會越來越有限。

想通了之後，我就向老闆提出了辭職的請求。讓我感動的是，老闆沒有生氣，反而說了這樣一句話：「不能留住你當然是很遺憾，不過你有更好的發展，我們很高興！」

於是，我走向了一家大型企業。這是一次具有轉折性意義的改變，我更加完整的職業化修煉就是從這裡開始的，我的人生走向了更大的舞臺，我的職業擁有了更大的空間。

其實，那時我對自己的職業生涯發展並不是特別的清晰，也是邊走邊看。

現在想想，我當時所在的公司雖然不錯，但是後來去的那家大企業更具有規模與制度，這對於我個人的職業化來說太有意義了。因此現在想想，累積了幾年的經驗後從小公司離開，果然是一個正確的決定。

一定要清楚你在每個階段要的是什麼

小企業看老闆，中企業看制度，大企業看文化。當一個企業只有幾個人的時候，靠的不是管理，也不是文化，而是老闆的魅力和員工的能力；當企業發展到上百人的時候，單憑老闆的魅力已經不行了，這時候就需要企業的制度管理了；到了幾百人、上千人甚至更大規模的時候，老闆的魅力、制度等都有了不同程度的侷限性，這時就需要企業文化。因此對於個人來說，在不同的階段所得到的成長也就不一樣，你一定要清楚你在什麼階段要什麼！

懂得爭取，才能有存活空間

一位管理專家為一群商學院學生講課。站在那些高智商、高學歷的學生面前，他說：「我們來做個小測驗。」他拿出一個一加侖的廣口瓶放在他面前的桌上。

隨後，他取出一堆拳頭大小的石塊，仔細地將它們一塊塊放進玻璃瓶裡。直到石塊高出瓶口，再也放不下了，他問道：「瓶子滿了嗎？」所有學生回答：「滿了。」管理專家反問：「真的？」

他伸手從桌下拿出一桶礫石，倒了一些進去，一邊還去敲擊玻璃瓶壁，使礫石填滿下面石塊的間隙。「現在瓶子滿了嗎？」他問了第二次。但這一次學生們有些明白了：「可能還沒有。」「很好！」專家說。

他伸手從桌下拿出一桶沙子，慢慢地倒進玻璃瓶中。沙子填滿了石塊和礫石之間的空隙。他又再一次問學生：「瓶子滿了嗎？」「沒滿！」學生們大聲回答。他再一次說：「很好。」然後，他拿起一個水壺往玻璃瓶裡倒水，直到水面與瓶口持平。接下來，專家發問：

「你們明白了什麼道理嗎？」同學們紛紛發言。最後，他笑著說道：「你們的看法也是對的，但我認為這個實驗說明的意思是，哪怕你的職業再好，但只要你繼續爭取的話，你一定還可以做得更好！」年輕的你請記住：只要你想繼續爭取，職業的「空間」一定會更大，人生的「平臺」一定會更高。

一句話，能改變你的一生

小公司與大企業都有生存之道，沒有好壞之分，但對不同階段的我們產生的影響將會不同。

好的公司不分大小，唯有找到與自己性格符合、有發揮的空間，那公司便是最好的。

06 沒有危機感，才是真正的危機！

「居安思危」絕對不是「危言聳聽」！「此刻貪閒，你將做夢；此刻學習，你將圓夢。」在競爭激烈的人生戰場上，貪閒的都是輸家！沒有人願意接受被淘汰的厄運，你必須提昇現在的「安全模式」，主動思索、積極行動，勇敢地進行冒險，適應不斷變化的環境，這樣才能使自己最終擁有縱橫人生的實力。

順遂的生活會使人鬆懈

一個人在年輕的時候似乎都豪情萬丈，似乎什麼都不怕，可是隨著年齡的增長，每天越來越常想著工作、養家糊口這些俗事，再也沒有年輕時候那種敢於上天探星、下海撈月的勇氣了。是我們改變了生活，還是生活改變了我們？

剛畢業的頭一兩年，生活的重擔可能會壓得我們喘不過氣來，挫折和障礙也會堵住四面八方的出口，我們往往能因此而發揮自己意想不到的潛能，殺出重圍，找到出路。可是兩三年過後，一旦身上的重擔開始減輕，再加上工作開始一帆風順時，我們就鬆懈了下來，漸漸忘記了潛在的危險，直到有一天危險突然出現在我們眼前，我們則在手足無措中被擊敗。

其實，畢業後的這幾年仍然處於「危險期」，一定要有居安思危的意識，好好打拚，如此才能有一個真正的「安全人生」！

危機往往是成就自己的捷徑

二十多年前，在沿海一家公家設置的冷凍廠，有兩位工人，分別是陳先生與許先生。他們倆從小一起長大，幾十年一路走來，可以說是「莫逆之交」。他們兩位都是技術能手，差別是陳先生比較循規蹈矩，寧願保持已有的「安全感」，也不想出一點點的差錯。而許先生比較靈活，具有「冒險精神」，遇到事情喜歡鑽研，能根據變化去做一些極具創意的事。

二十年過去，民間經營的企業如雨後春筍般一一設立，很多原本在公家機關工作的人紛紛勇於跨出去，一手扔掉國營的「鐵飯碗」，一手下海經商。許先生也決定投身於這個浪潮中。身為好友，陳先生覺得這個舉動太「危險」了，於是極力勸說許先生千萬要慎重。然而，許先生很堅決，而且也勸陳先生一起下海。結果，他們倆因為「道不同不相為謀」而分道揚鑣了。

陳先生始終留在冷凍廠裡。沒想到，幾年之後，冷凍廠由於經營不善而倒閉了，他無奈地被迫失業。真是無巧不成書，這家冷凍廠被他當年勸說不成的好兄弟許先生了買下來。原來，許先生在企業人才輩出的浪潮中奮力打拚，闖出了自己的一番事業。這次，他是回家鄉投資建廠的。

聽到是自己當年好兄弟的產業，陳先生立刻樂了起來，決定去找許先生，希望謀得一個職位。然而，當他向許先生說出希望能在廠裡工作時，許先生卻是這麼回答的：「大哥，真是非常抱歉！你應該知道，我這個廠現在已經配備了一些先進的電子機器，對技術、對資訊、對年齡都有嚴格的要求。二十年的時間很快的，你的技術已經老化，對外面世界的資訊也一點都不瞭解，而且工作要求這麼高，按你現在的年紀肯定也承受不了。如果讓你當工廠的保全人員，以你的身體條件和年齡也不適合。所以，很抱歉……」

我父親那個時候也是這家冷凍廠的一名技術工人，每當他跟我說起這件事時，就特別感慨：「你自己要好好努力啊，不要以為現在很『安全』了，其實『危險』無處不在啊！」的確如此，就像「機會」遍地都是，「危險」也是時刻都存在，只有勇敢的人，才能把「危險」化成「機會」！

你活在「大魚缸」還是「噴水池」裡？

「溫室式」的生活模式，容易弱化自己的能力，限制自己的發展。

我聽一個朋友講過這麼一件有趣的事：

有一家公司，大廳擺著一個好大的魚缸，缸裡放養著十幾條產自熱帶的混種魚。那種魚大約三寸長，大頭紅背，長得特別漂亮，經常吸引許多人駐足欣賞。

一轉眼兩年過去了，那些魚在這兩年的時間裡似乎沒有什麼變化，依舊是三寸長，大頭紅背，每天自得其樂地在魚缸裡時而遊玩、時而小憩，繼續吸引著人們驚羨的目光。

忽然有一天，魚缸被公司經理頑皮的兒子砸了一個大洞。待發現時，缸裡的水已經

所剩無幾，十幾條熱帶魚可憐地趴在那裡苟延殘喘，人們趕緊把牠們打撈了出來。怎麼辦呢？大家四處張望了一下，發現只有院子當中的噴水池可以「救急」。於是，就把那十幾條魚放了進去。

兩個月後，新的魚缸來了。人們都跑到噴水池邊來撈魚。撈起一條，人們大吃一驚，簡直有點手足無措了。僅僅兩個月的時間，那些魚竟然長到一尺長！

人們七嘴八舌，眾說紛紜，有的說，可能是因為噴水池的水是活水，魚才長這麼長；有的說，噴水池裡可能含有某種促進生長的礦物質；也有的說，那些魚可能是吃了什麼特殊的食物……。但是無論如何，有個共同的前提，那就是噴水池要比魚缸大得多！

也許對你來說，現在「最大的夢想」就是渴望自己的工作和生活事事如意，每天都是遂著心願輕輕鬆鬆地過著日子。然而，輕鬆的環境看起來是養人的好地方，但充其量不過是一個「大魚缸」而已，既沒有活水也沒有發展空間，表面的平靜之下隱藏著巨大的危機。

一句話，能改變你的一生

生活不是不能享樂，但過度享樂就意味著危險也會一步步地朝我們逼近。

人生，與其躺在床上「安樂」地「等死」，不如跑在路上「勇敢」地「摔死」。

07 成功不能只靠「吸引力」，還需要「影響力」

年輕人要勇敢地在內心為自己貼上成功的個性標籤，這個成功的個性標籤有一天也許就會真的成為你的品牌！這樣的品牌能夠給別人一個明確的形象，固定並不斷地強化，而這樣的形象總有一天能影響別人。也許你改變不了一個人的性格，但是透過你的影響，你可以稍微改變他命運的軌跡，使他更好、更快地接近成功。

每個人都是活磁鐵

《祕密》這本暢銷書說：「瞭解這個祕密，你就可能做到你想做的事；學會這個祕密，你將知道如何去擁有、成為或去做你想要的。這個祕密就是『吸引力法則』。」

有一本論述「影響力」的書籍也說：「政治家運用影響力來贏得選舉，商人運用影響力來兜售商品，推銷員運用影響力誘惑你乖乖地把金錢奉上。不管你擁有什麼身分，你都擁有影響力。」為什麼在這裡我要把「吸引力」和「影響力」兩個詞語特別列出來對比和說明呢？

在社會上闖盪了一段時間之後，任何一個人都會累積一定的人脈、學到一些經驗，如果再有一個好人品的話，那麼你就具備了一定的「吸引力」了。我們每個人都是一個活磁鐵，生活中的所有事物都是我們自己的人品及我們大腦的思維波動所吸引過來的！

你想在生命中吸引些什麼？是幸福？是健康？是財富？亦或是這些都要？那麼你就必須比別人付出更多的努力。然而，擁有這些就足夠了嗎？擁有「吸引力」就可以了？以後漫長的人生就可以開始享受了嗎？每個有志的年輕人都應該要有更高的要求，除了有「吸引力」，還要有「影響力」！

請勇敢樹立自己的「個性標籤」

幾年前，我讀過一個故事，覺得很有意思，曾經因此而一度把MSN上的暱稱改為「阿土哥」。

陳阿土是臺灣農民，從沒出過遠門。終於，他得到一次參加旅行團出國旅遊的機會。國外的一切對他來說都是非常新鮮的，尤其是他參加的是一個豪華團，一人住一個房間，這更令他感到新奇不已。這天早晨，服務生敲門送早餐時對他大聲說道：「Good morning, sir!」陳阿土愣住了：「這是什麼意思？」在他自己的家鄉，一般陌生的人見面都會問：「您貴姓？」想到這，陳阿土大聲喊道：「我叫陳阿土！」

如是這般，連著三天，都是那個服務生來敲門，每天都大聲說：「Good morning, sir!」而陳阿土亦大聲回道：「我叫陳阿土！」

幾天下來，他非常生氣，覺得這個服務生也太笨了，天天問自己叫什麼，告訴他也記不住，真煩！終於，他忍不住了，跑去問導遊「Good morning, sir!」是什麼意思，導遊告訴他答案。「天啊！真是太丟臉了！」聽了導遊的答案之後，陳阿土回到房間，反覆練習「Good morning, sir!」這句話，以便能體面地和服務生應對。

第二天早晨，服務生照常來敲門，門一開，陳阿土就大聲叫道：「Good morning, sir！」與此同時，服務生回答的是：「我是陳阿土！」

故事看完了雖覺得好笑，但其實它深刻的含義在於：人與人的交往，是意志力與意志力的較量，不是你影響他，就是他影響你。

在畢業後的這幾年，要勇敢地樹立起自己的個性標籤，形成自己的「氣場」，讓別人知道一個明確的你，讓別人瞭解一個正面的你，讓別人清楚一個具有影響力的你。一旦你成為周圍人心中的榜樣，並能成功地激勵他們，你將會成為他們生命中有影響力的人物。

一句話，能改變你的一生

吸引力是一種實現自我價值的表現，而影響力則是一種促進他人共同成長的體現。

每個人在一生當中，大約可以影響到兩百個人。年輕人作為一個特殊的社會群體，影響力更是無處不在。年輕人可以透過自己的青春朝氣，透過自己的獨特創意，透過自己的個性魅力，用自身的力量來為自己創造幸福，更可以影響周圍的人。

08 別讓過去成為你的絆腳石

有一句俗語說得很好：「好漢不提當年勇。」過去的輝煌只能代表過去某個時段的你。為了創造出你未來人生新的輝煌，你需要隨時忘記你現在擁有或曾經擁有過的榮光，不管是你具備的資歷，還是你擁有的學歷，乃至你累積的經歷，所有一切，要學會統統忘記，把目光放遠，去追逐新的光明。

越成功，越要謙虛

一個人成功的時候，若還能保有謙虛的胸懷，而不趾高氣昂，便往往會取得更大的成功。福特說：「那些自以為做了很多事的人，便不會再有什麼奮鬥的決心。有許多人之所以失敗，不是因為他的能力不夠，而是因為他覺得自己已經非常成功了。」所以，要衡量一個人是否真正能有所成就，就要看他能否不惦記著過去的輝煌。

成功永遠只是起點，而非終點

一九五四年，巴西的所有人一致認為，巴西足球隊一定能榮獲當年世界盃足球賽的冠軍。然而，天有不測風雲，巴西隊意外地輸給了法國隊，結果沒能將金光閃閃的獎杯帶回巴西。球員們比任何人都更明白，足球是巴西的國魂。他們懊悔至極，感到無顏見家鄉父老，當然也知道球迷們的謾罵、嘲笑和汽水瓶子是難以避開的。

當飛機進入巴西領空之後，球員們更加心神不寧，如坐針氈。可是，當飛機降落在機場的時候，映入他們眼簾的卻是令他們意想不到的景象：巴西總統和兩萬多名球迷默默地站在機場，人群中有一條橫幅格外醒目：「一切都已經過去了！」球員們頓時淚流滿面，受到鼓舞後，原本低垂的頭也都揚了起來。

四年後，巴西足球隊不負眾望，贏得了世界盃冠軍。回國時，球隊的專機一進入國境，十六架戰鬥機為之護航。當飛機降落在加勒機場時，聚集在機場上的歡迎者多達三萬人。在從機場到首都廣場將近二十公里的道路兩旁，自動聚集起來的人群超過了一百萬。這是多麼宏大而激動人心的場面！球員們突然發現，人群中又出現了四年前那條橫幅：「一切都已經過去了！」球員們看了之後，慢慢地把高高揚起的頭低了下來。

日本直銷天王中島薰說過：「我向來認為自己最大的敵人就是滿足，成功永遠只是起點，而不是終點。」

成功僅代表過去，如果一個人沉迷於以往成功的回憶裡，那就永遠不能進步。想要不斷進步，就要重新開始。

一個越成功的人，對成功的欲望越大。成功是一種行為習慣，也是一種思維習慣，一個成功的人正因為能夠不惦記著成功，並不斷地以行動創造價值、以不斷創新的思維來做事，才會不斷地成功。

一句話，能改變你的一生

生活不可能永遠充滿詩情畫意的浪漫，人也不可能一輩子都處於巔峰狀態。

「好漢不提當年勇，智者莫念昔日功。」在過去的輝煌裡強化現在的失落，不但是愚蠢的表現而且是無知的作法，希望年輕的你能做真正的智者，放眼遠處的輝煌，走好現在以及將來的路。

黃金課程第5堂

時間管理法／工作法

成功者，趁著別人睡著時往上爬

很多人進入職場後天天說：「很忙，沒時間。」其實，忙是一件好事，趁年輕的時候忙一點總是好的。但是，當你問他們在忙些什麼的時候，他們往往回答不出來，連自己也不知道時間都花在哪了。人可以忙碌，但不能盲目，忙就要忙得有價值。懂得管理時間，將時間做最有效運用的人，往往靠夢想最近。

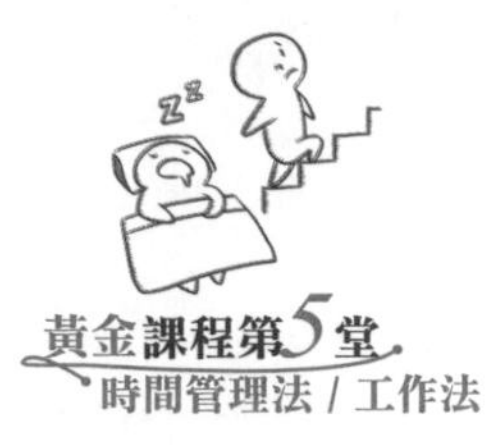

01 時間要「擠」才充裕

不善於支配時間的人，經常感到時間不夠用，生活中也有很多人用「我沒有時間」這五個字來推卸責任。其實，「時間要擠才充裕」。在有限的時間裡把生命拉長的人就擁有了更多成功的本錢。安排你每天做的事，先為每件事設定出時限，再果斷取消或中止那些可做也可不做的事，你會發現原來時間是很多的。

別說「很忙，沒有時間」

「我很忙，沒有時間。」這是生活中不少人經常掛在嘴邊的一句話。人們總是把它作為沒有完成或未能完成好工作的藉口。他們沒有意識到，正是這句話，使得自己的工作效率不高、工作品質低下，進而距離成功越來越遙遠。

哲人伏爾泰問：「世界上，什麼東西是最長而又是最短的；最快的而又是最慢的；最能分割的又是最全面的；最不受重視的又是最令人惋惜的；沒有它，什麼事情都做不成；它使一切渺小的東西歸於消滅，使一切偉大的東西存於永恆？」

智者查帝格回答：「世界上最長的東西莫過於時間，因為它永無窮盡；最短的東西也莫過於時間，因為人們所有的計畫都來不及完成；在等待著的人看來，時間是最慢的；在作樂的人看來，時間是最快的；時間可以擴展到無窮大，也可以分割到無窮小；當時誰都不重視，過後誰都表示惋惜；沒有時間，什麼事情都做不成；不值得後世紀念的，時間會把它沖走，而凡屬偉大的，時間則把它們凝固起來，永垂不朽。」

成功的人之所以能到達高處，並不是一步登天，成功者付出的代價往往不是一般人能夠想像的，而是他們在同伴們都睡著的時候，在夜裡辛苦地往上攀爬。

每天只要一小時，也能累積出驚人的成果

安排時間是一門學問。想要成為一個優秀的人，就必須精通這門學問，加強對時間的管理。善用時間，才能從雜務中解脫出來，去做最值得做的、也最能展現自身能力和價值的事！

世界織布業的鉅子威爾福萊特用了四十年的時間來奮鬥，平時工作忙碌的程度可想而知。他也曾想發展一下自己的業餘愛好，但又總是認為自己的工作太忙，抽不出更多的時間。

隨著自己一天天變老，威爾福萊特意識到自己除了會賺錢，別的什麼都不會。他開始懊惱，終於下定決心：「無論做多大的犧牲，我每天一定要抽出一小時來畫畫。」

為了保證在這一個小時內能不受干擾地專心畫畫，他每天不到五點就起床，一直畫到吃早飯。幾年過去了，威爾福萊特用這每天壓縮出來的一小時累積出驚人的成果。他的油畫在畫展上大量出現，甚至有幾百幅畫以高價被買走。他還多次舉辦個人畫展。他運用賣

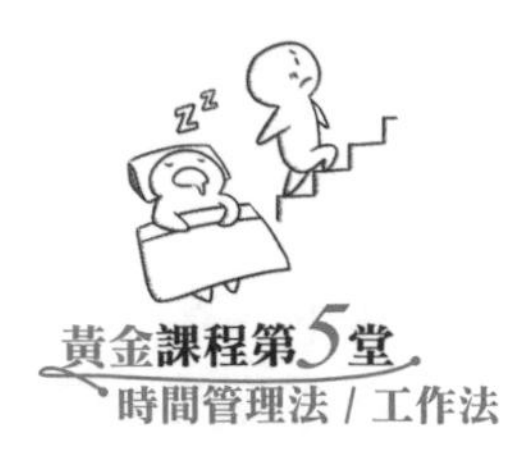

畫的全部收入設立獎學金，獎勵那些優秀的學子。他表示：「捐這點錢算不了什麼，從畫畫中獲得的巨大樂趣，才是我最重要的收穫。」

哲學家費爾德說：「成功與失敗的分水嶺可以用這五個字來表達——『我沒有時間』。」

這個生活節奏日益加快的時代，每個人都在忙，而且每個人做的每一件事情好像都很難、很重要，問題就出在這裡。從威爾福萊特身上不難看出，一個人工作再忙，也還是能擠出時間來做一些自己平時想做又常常做不到的事情。不要小看這點時間，它們匯集起來可是一筆巨大的財富，會創造出你難以料想的成功，使你終身受益。

說「沒時間」的人，辦事效率都很低

為什麼有這麼多人成天在說「沒時間」？可能因為的確很繁忙，但是真正工作繁忙的人並不會輕易說「沒時間」。只要仔細觀察你就會發現，大部分說「沒時間」的人，其實辦事效率都很低。

說「沒時間」的人大概有以下幾種類型：

第一種類型，確實日理萬機，工作繁忙。這種人可能會脫口而出：「沒時間！」因為還有很多重要的事要去做，所以有其他的工作項目來臨時，沒時間是經過他們考慮後得出的答案，是負責任的表達，是委婉的拒絕。所以說「沒時間」，情有可原。

第二種類型，被雜務纏身。這樣的人看起來似乎總在埋頭工作，其實卻沒什麼產能可言，碌碌無為。他們說沒時間並不是真的沒時間，而是不會對自己的時間進行妥當的安排。因為廢寢忘食、通宵達旦的工作，這樣的勞碌並沒有任何價值。

第三種類型，喜歡投機取巧。這種人善於察言觀色，如果是上級指派的任務，會想盡一切辦法去完成；但如果是下屬的請求時，則會冷漠地回說：「沒時間！」而且還找出名目繁多的理由、藉口來數落請求者，以證明自己確實很忙，一副鞠躬盡瘁的樣子。

第四種類型，是懶惰的人。這種人的時間從來都是浪費在玩樂，或是那些和工作沒有關係的事情上。他們說「沒時間」是在自欺欺人，是在虛度光陰。

「沒時間」是他們的口頭禪。到青春年華已所剩無幾、霜染白頭時，就真的「沒時間」了。

年輕人精力旺盛，但不代表時間無限，在每天的工作中，一定要合理安排時間。當然，這並不意味著把全部時間都用於工作，而是要在工作與休閒之間取得平衡，這樣才能同時擁有高效率的工作，以及高品質的生活。

為成功制定一個期限

海獺生活在阿留申群島周圍的海域中，智慧在某些方面超過了類人猿。比如在捕食海膽時，牠們同時也會從水底撈起一塊石頭，接著平躺在水面，將石頭放在肚皮上，然後用

兩隻前爪抓住海膽用力地往石塊上砸，直至將海膽堅硬的殼砸破。

令人驚嘆的不僅是海獺會用石塊來砸開海膽殼，還有牠們對捕食時間的準確把握。海獺能閉氣的時間僅僅只有四分鐘，也就是說，在這四分鐘裡，牠必須潛到五十公尺以下的海水裡去捕獵，如果超過四分鐘，牠就會溺死在水裡。所以，時間對海獺來說就是生命，每次捕獵都是以倒數計時來計算的，牠們以自己的生命來爭取食物，不是選擇被淹死，就是選擇被餓死。

海獺非常清楚自己捕獵的時間有限，所以每次潛入水中之後，牠便鎖定明確的方向去尋找自己的獵物，一秒鐘都不敢耽誤。牠的動作異常敏捷，抓到獵物後，一定會在肺裡的氧氣用完之前返回水面。牠們沒有鯊魚堅硬的牙齒，沒有金槍魚鋒利的長槍，沒有任何強過海裡其他動物的武器，可是，千百年來，牠們就是靠著那四分鐘的捕獵時間而在海裡生存了下來。

人類跟海獺相比，有多少個四分鐘？

很多人之所以一直與成功無緣，就是以為時間太充裕，從而產生了懈怠心理。如果能懂得為成功或者是目標定出一個期限，便沒有機會猶豫不決，從而促使你立即在有限的時間裡明確目標，然後全力以赴。如果你還在人生的十字路口上，那麼不妨為自己的成功制定一個期限。

一句話，能改變你的一生

時間就像海綿裡的水，擠一擠總還是能擠出一些來的。

每天只要花一個小時，再忙的人也能成就自己的目標。所以，千萬別說你沒時間。

成功者的成功方程式：「成功=個人的能力×集中力×時間的平方+過去的累積」。而時間的平方是影響成功最大的因素。換言之，就是要花比別人多的時間、增加學習量。人與人的能力其實並沒有多大的差異，若想拉開他人與你的差距，唯一的方法就是：當別人還在睡覺或者嬉戲時，善用每一分、每一秒，創造自己的優勢。

02 好想法需要好做法

人們通常讚美靈感，但是不願屈尊去流汗地努力付出。擁有新穎的想法很重要，然而在任何偉大的成功故事裡，好的想法僅僅是個開端。年輕的你滿腦子都是偉大的創意、閃爍著智慧的好點子，但是卻缺乏勇敢的嘗試和有效的行動。「好想法」必須配套「好做法」。「好做法」有兩層含義：首先是要「去做」，接著要「會做」，而不是盲目地做。

不做，就永遠不會成功

美國著名作家奧格．曼迪諾時時刻刻告誡自己：「我要採取行動，我要採取行動……從今以後，每小時、每一天都要重複這句話，直到這句話像我的呼吸習慣一樣，而跟在它後面的行動，要像我眨眼睛的本能一樣。有了這句話，我就能夠實現成功的每一個行動，有了這句話，我就能夠制約我的精神，迎接失敗者躲避的每一次挑戰。」

二十幾歲的你正處於人生最美好的時期，你可以認真制定各個時期的人生目標，但如果不付諸行動，還是會一事無成。

假設你想出國旅行，於是你制定了一個旅行計畫，花了幾個月時間閱讀找到了各種資訊，訂了飛機票，並制定了詳細的日程表，標出了要去觀光的每一個地點，連每個小時要去哪裡都定好了。這真是一次完美的計畫，可是最後的一刻你卻因為怕高，不敢上飛機而取消了這次旅行。這不是很可笑嗎？

一百個想法不如一個做法。光有想法而沒有作法，那永遠只能流於空想。偉大的構思和完美的想法往往因為不去做而變成廢紙一堆。無論什麼事，如果你想了，就應該去做；做，就馬上做；馬上做，但也要做得好。

做，也許會成功，也許會失敗，但不做，就永遠不會成功。

大腦和雙手，是實現成功夢想的雙翼

在演講的時候，美國成功學家格林曾不只一次地對聽眾開玩笑說，全球最大的航空快遞公司——聯邦快遞其實是他構想的。

格林沒有說假話，他的確曾有過這個想法。二十世紀六十年代，格林剛畢業沒幾年，在全美為公司做仲介工作，每天都在為如何將文件在限定時間內送往其他城市而苦惱。當時，格林曾經想到，如果有人開辦一個能夠將重要文件在二十四小時之內送到任何目的地的服務，該有多好！

這個想法在他腦海中停留了好幾年，他也經常和人談起，遺憾的是，他沒有行動，直到一個名叫弗列德．史密斯的傢伙真的把它付諸實行，而格林也與成功擦身而過了。

無獨有偶，同樣是關於世界五百大企業的故事，卻有不一樣的結局。一九五二年，受到經融風暴的影響，日本東芝公司積存了大量的電風扇。東芝上上下下的員工絞盡腦汁，

想出很多方法，銷量卻依舊不見起色。其中一個小員工也想努力為公司解決難題，以致廢寢忘食。

這天，小員工走在街道上，無意中看到很多小孩拿著五顏六色的小風車在玩，腦海中突然閃現出一個想法：「為何不把風扇的顏色改變一下呢？這樣一定能吸引年輕人和小孩子，也可以讓成年人覺得彩色電扇能為屋裡增添光彩！」他立即跑回公司向經理建議，經理聽了之後非常高興，特地召開大會研究並採納了這位小員工的建議。一九五三年夏天，東芝公司隆重推出一系列彩色電風扇，深受人們喜愛。當時市場上的電風扇一律是黑色的，當這種彩色電扇推出時，立刻掀起了一股搶購熱潮，幾十萬台風扇在短時間內迅速銷售一空，東芝也很快擺脫了困境。提出建議的小員工也因此獲得公司百分之二的股份。

有了好創意，一定要去做；有了好想法，更要有好做法。大腦和雙手，才是實現成功夢想的雙翼。

除了去做之外，還要「會做」！

在俄羅斯盛傳著這樣一句諺語：「巧為能捕雄獅，蠻幹難捉蟋蟀。」這句話道出了一個非常普遍的真理，即「想法需要有正確的做法」。

在《射雕英雄傳》裡面有這樣一個情節：女主角黃蓉被海蚌夾住了腳，費了很大的勁也掰不開，結果抓了一把細沙放到蚌殼裡面，蚌就自己打開了，因為蚌最怕的就是細沙。

由此可見，想了就要去做，但是去做了，更要知道怎麼做才能做得好。要抓住問題的關鍵，並找到能真正解決問題的方法，這樣就可以達到事半功倍的效果。

彥明畢業於一所普通大學，剛進入公司時，看起來非常平凡，沒有什麼過人之處。但是，熟悉他的人都知道，每當從事一份新的工作時，他很快就會得到長官的賞識與重用。因為彥明始終堅信，勇氣和耐心會比埋頭苦幹更有效。第一次參加員工會議時，彥明就勇於發言，給上級留下深刻的印象。當其他新員工在埋頭苦幹，還分不清部門裡誰是誰的時候，彥明已經大致瞭解老員工的情況。不到一年，他就被提升為部門主管。

一個聰明的人不僅會努力地工作，更會在行動前進行思考。如果你不能花些時間去制訂計畫、認真思考、安排優先順序，你就會覺得工作非常辛苦，永遠享受不到工作所帶來的快樂與成就感。

一句話，能改變你的一生

口號再怎麼樣華麗，沒有行動就顯得空泛；想法再怎麼樣完美，沒有作法也是白搭。異想天開去做夢，腳踏實地去行動。大腦加上雙手，才能為夢想插上飛翔的翅膀。

03 按照流程做事，可以避免出錯

現在的你，已經從一個學生轉變為職業人，所以做事情不能毫無章法、任意妄為。能否按照流程來處理各種事情，是職業素養的最基本呈現；其次，企業制定那些規章、流程，絕對有其合理性，千萬不要以你個人之力去挑戰經過千錘百煉的管理理論；再者，有章可循、按章執行可以讓你少走彎路，讓你少犯錯誤甚至不犯錯誤。

工作中可能會碰到的五種混亂情況

缺乏明確流程，工作就容易產生混亂。如果有章不循，按個人意願行事，就容易造成混亂。以下是平時在工作中可能會碰到的幾種情況，不妨檢查一下你有沒有這樣的問題：

一、職責不清造成的混亂

在工作中，我們會遇到由於流程安排不合理，造成某項工作好像牽涉到兩個人的職務，但其實誰都沒有真正負責，兩個人卻又因為工作糾纏不休，整天爭論。

二、業務能力低下造成的混亂

素質低下、能力不能滿足工作需要，也會造成工作上的無序。不少人雖是某項專案的負責人，可是卻因為其能力不夠而導致工作混亂無序。

三、業務流程的混亂

每個人大多考慮一項工作在自己這裡能否得到貫徹的執行，而很少考慮到如何協助他人實施。完全以自己為中心，導致流程混亂，工作也無法順利完成。

四、協調不力造成的混亂

同事間的工作缺乏合作和交流意識，彼此都在觀望，認為應該由對方負責，結果工作沒人管，原來的小問題也被拖成了大問題。

五、有章不循造成的混亂

隨心所欲，把公司的規章制度當成好看的守則，沒有自律，不按制度進行管理考核，造成無章無序的管理，影響了部門的整體工作效率和品質。

混亂不可怕，怕的是混亂了還不知道如何修正，還一味地忙碌下去。一個知道如何正確忙碌的人，應該分析造成混亂的原因，努力解決主要的問題，思考如何透過科學的方法，使混亂變為清晰，從而有效率地工作。

一句話，能改變你的一生

有時候你想像中的捷徑，正是把你帶入危險地帶的歧路。

不要以太忙作為藉口，從而給自己的偷懶與缺乏紀律找理由。你不是一個人在工作，企業的運行線上，你只是其中一道工序，該怎麼走就怎麼走，不要偷工減料，也不要畫蛇添足。做好本分的事，有時不出錯就是對企業最大的貢獻。

04 清楚你自己在職場的位置

無論畢業後是在企業裡上班，還是到公家機關任職，年輕人都會有這樣的經歷：當你的意見與上級相左而又想堅持己見時，常常會得到這樣的忠告：「明白自己的位置」。儘管這句話含有一些消極成分，但如果從積極角度去理解，它還是很有啟發性的。

沒有大局意識，在職涯中容易跌倒

在戰場上，軍事指揮人員無論職位高低，都要在瞬間清楚回答三個問題：「我在哪裡？敵人在哪裡？友鄰部隊在哪裡？」對這三個問題的回答是決定戰鬥勝敗的前提。

位置感決定了參戰者的命運。指揮人員必須明白自己的位置，並從這個位置出發，為戰場局勢做出符合實際的決策。

戰場如此，職場何嘗不是呢？在一個職業化的組織中，我們都是組織的人，任何時候都應該認清個人在組織中的位置，小組織在大組織中的位置，局部在全域中的位置。

即使不越權，也能夠擁有某程度的影響力

趙小姐幾年前大學畢業，應聘到一家外商公司當祕書，如今她已經晉升為該公司的首席祕書，不僅因為趙小姐有著很出色的工作能力，也

因為趙小姐懂得很多的為人處世之道，特別是在與上司相處時，懂得做事不可以超越自己的權限範圍。如果一個祕書要想代替上司來行使職權，那麼終究將失去自己的職位。

有一天，趙小姐的老闆收到一封非常無禮的信，這封信是與公司交往很深的代理商寫來的，老闆對這封無禮的信感到非常生氣，他把趙小姐叫進了辦公室，讓她記錄自己口述的回信，措辭很嚴厲：「我對你無禮的信感到非常氣憤，儘管我們之間有很長時間的業務往來，但事已至此，我決定中斷我們之間的所有往來，並且將其公之於眾！」

寫完以後，老闆命令趙小姐將其立即列印出來發送出去，趙小姐一一照辦，但她在列印完以後又進辦公室再次請示老闆，這封信是否馬上發出去，這時老闆怒氣已經消了，當然信最終也沒有寄出去。

在這件事情中，趙小姐充分顯示了自己的聰明才智。她心中雖然認為老闆在情緒化之下口述的回信如果真寄給對方，將會不利於公司的長期發展，但是在老闆生氣的時候她並沒有去當場反駁他，因為她不知道想與那個代理商斷交，到底是因為老闆的一時氣憤，還是因為公司實際利益上的關係，而且在這個重大的問題上，畢竟還是應該由長官來下決定。

趙小姐把信列印出來後重新去請示老闆，讓老闆有重新選擇一次的機會，使公司不致失去一個重要客戶。

大部分年輕人在畢業後進入社會的前幾年，都是處於基層的員工，既不是政策的制定者，也不是最後的決策人。就算我們有能力，但是請切記，不要忘記了自己的身分。應及時調整自己的心態，明白自己的位置，從更客觀的角度去看待自己的工作，發掘工作中的樂趣。

一句話，能改變你的一生

想你該做的，做你分內的，改你做錯的。

上司永遠是決策者、命令的下達者和最終決策人，你最多只是執行者和通報者。

05 在狀態最好時，做最重要的事

我們互相問候的時候總會說自己「忙死了」，可是我們到底在忙些什麼呢？我們忙出什麼成果來了嗎？沒有。如果能夠將工作條理化，能在瑣碎而繁多的工作中，把有限的時間做最有效的運用，在精力最旺盛的時候做最重要的事情，那麼工作效率會提高很多。同時，你還會發現，工作原來可以這般輕鬆和快樂。

找出你精神最好的黃金時段

有許多人，在辦公室裡忙得團團轉，可是當別人問他們在忙些什麼時，他們卻回答不出來。這就是瞎忙，做事沒有條理，一下子做這一下子做那，一件事情沒有做完，又跑去做另一件事，結果打亂了原本的思緒，第一件事情又要重新來一遍。不僅浪費時間，浪費精力，還搞得自己心情沮喪。

為了達到高效率的工作水準，就要改變一下自己的工作方式。

一個人在每天的工作之中，可能碰到各種各樣的事情要處理，那麼就需要將所有的事情進行規劃，以便能確定其優先次序。而排定工作的優先次序可以使你在最有效的時間內，完成最需要完成的事情。例如：選擇上午九點至十一點這段精神最好的黃金時間完成最重要的工作，如制訂一個發展策略方案；選擇下午四點～五點比較疲

憊的時候進行一些無須用腦的工作，如複印或打字，從而緩解疲憊的精神，也不讓這些瑣事佔用掉自己的黃金時間。

只要做到這樣，一切就會顯得井然有序，也能大大提升你的工作效率。

優化你的辦事效率

以下是一位年輕人某天上午的上班畫面：

清晨，上班途中，他信誓旦旦地下定決心，一到辦公室即著手草擬下半年度的部門預算。

他九點準時走進辦公室，但並沒有立刻開始預算的草擬工作，因為他突然想先將辦公桌整理一下，為自己提供一個舒適的環境。雖然未能按原定計畫開始工作，但他不後悔，因為三十分鐘的整理工作將有利於之後工作效率的提高。

他面露得意的神色隨手點了一支煙，稍作休息。此時，他無意中發現報紙上有自己喜歡的明星照片，於是拿起報紙來。等他把報紙放回報架，又過了十分鐘。這時他略感不自在。不過報紙畢竟是精神食糧，看看也是有好處的。這樣一想，心也就放寬了。

於是，他正襟危坐地準備埋頭工作。就在這時，電話聲響了，是一位顧客的投訴電話。他花了二十分鐘才說服對方平息怒氣。掛上了電話，他去了洗手間。在回辦公室的途中，他聞到咖啡的香味。原來另一部門的同事正在享受「上午茶」，他們邀他加入。他心裡想，剛才費了好大的心思處理投訴電話，一時也無法進入工作狀態，而且預算的草擬是一件頗費心思的工作，倘若頭腦不清醒，則難以完成，於是他應邀加入，便在那裡前言不搭後語地聊了一陣。

回到辦公室後，他果然感到精神奕奕，以為可以開始「正式工作」了——擬定預算。可是，一看錶，已經十點四十五分了！距離十一點的部門例會只剩下十五分鐘。他想，反正在這麼短的時間內也不太適合做比較龐大耗時的工作，乾脆把草擬預算的工作留到明天算了。

就這樣，他始終未能完成今天最重要的事，即使是在上午精力最旺盛的時候。事情一再地被一些瑣碎的事物拖延下去，造成的後果就是耗盡所有時間都無法完成重要任務。

由此可見，想讓辦事效率得到最大優化，一定要拋開只能給我們帶來微薄成果的活動。在精力最旺盛的時間處理最重要的事情，這是高效能人士的工作習慣。

善用資料夾和A4廢紙，建立良好的工作習慣

美國某汽車公司總裁莫端，總是要求祕書呈遞給他的資料需依顏色不同的公文夾來分類。紅色的代表特急，綠色的要立即批閱，橘色的代表這是今天必須注意的檔案，黃色的則表示必須在一週內批閱，白色的表示週末時必須批閱，黑色的則表示是需要他簽名的文件。

其實，我自己平時也有一個工作習慣：

每天早上坐到電腦前，在等待電腦進入系統的那點時間裡，我把平時列印過一面的A4紙反過來，然後拿出筆迅速地寫下我今天必須完成的幾件事情，同時規定三到五件是今天

無論如何一定要完成的。

接下來，在一天的工作中，每完成一件事情，我就用筆塗掉。下班時，再看看今天的任務完成情況，如果有些事情是不能等到明天才做的，那我一定要加班完成；如果時間不緊急而且可以稍微偷懶一下，那就放到第二天。

如此，我每次下班，每劃掉一件事情就有一種小小的成就感；而如果沒完成，拖到第二天，又在紙上寫一遍時，我就會有一些危機感和愧疚感。在成就感和愧疚感的交集中，我感覺工作的條理性清晰了很多。

同時，每個月和每個星期要處理的事情進度安排，我都在電腦上建立一個ＷＯＲＤ檔，放在桌面上，每天早上一開電腦，就先打開它，看看完成的情況以及做一些必要的更新和修正。按照事情的重要性和緊急程度，我把每件事情用不同顏色做標註，以提醒自己。

養成這樣的工作習慣後，雖然我每天都非常忙碌，一大堆工作同時壓到我身上，但是由於採用了正確的做事方式，我每天的工作效率都很高。我總是對我的員工說，事情不怕多，而是怕亂；工作不怕忙，而是怕無序，只要掌握了科學的方法，我們絕對能做到「忙而不亂」！

從事情的輕重緩急處理中建立一套邏輯

每個人的時間與精力都是有限的，如果能分清楚事情的輕重緩急，將有助於分配你的時間與精力，避免把所有事情擠在同一個時間內一次做完，讓自己累個半死又沒效率。

事情按照重要程度和緊急程度可以劃分為以下四種：

一、重要且緊急的事情

這類事情對你來說是當務之急，只有以最高的效率解決完，你才有可能順利地進行別的工作。這種事情緊急而重要，你必須把它們處理好，不能再拖延了。

二、重要但不緊急的事情

這類事情不是最重要的，但是關係到你的長遠發展。這些事情的最大特點是沒有規定的限期，如果沒有被其他人催促或有現實因素的刺激，可能將被永遠拖延下去。

三、緊急但不重要的事情

每個人都會遇到這樣的事情。這一類事情表面上看起來是極緊急的，而且要立刻採取行動，但是如果客觀地來審視，我們就應把它放到次要的代辦事項中去。

四、既不緊急又不重要的事情

我們在工作中會遇到很多這樣的事情，不需要即時處理甚至不需要處理。如果把精力放在這些事情上面，純粹是浪費時間。

任何工作都有輕重緩急之分。只有分清哪些是最重要的並把它做好，你的工作才會變得井井有條，卓然有效。做一個忙而有序的人，你的工作會更條理化及具競爭力。

一句話，能改變你的一生

任何工作都有主次之分，如果不分主次地平均使力，在時間上就是一種浪費。不管做什麼，都要從全域的角度來進行規劃，將事情分出輕重緩急，將大目標分成若干個小目標，並堅持「要事第一」的做事原則，久而久之就會培養起自己的「先做最重要的事」的工作能力。

黃金課程第6堂

人脈拓展術

在職場上，人脈等於你的錢脈

在好萊塢流行一句話：一個人能否成功，不在於你知道什麼（What you know），而是在於你認識誰（Who you know）。在職場上人脈就等於錢脈，尤其在社會歷練了一段時間之後，如果沒有用心在未來發展的領域經營人脈，後續的個人發展，可能就必須要比別人多花更長的時間與精力，更有可能無法如自己的預期達到目標。

01 人生如球賽，需要一個有默契的搭檔

美國調查顯示：「大約有百分之四十九的成功人士認為，他們曾經在事業中依靠過搭檔的幫助；而超過百分之六十一的商界人士認為，在企業內部有一個得力、脾氣相投的助手或搭檔通常會讓業務進行得較順利且成功。」如同賽場上球員之間默契的配合成就了每場經典的比賽，人生也是如此，每個人在生命之中總會有一個「黃金搭檔」，他（她）與你心意相通、默契十足，懂得與這樣的搭檔通力合作，將助你一臂之力。

和「異己」搭檔的哲學

在職場中有一種我們熟悉的情景，兩個能力都很強的人，因為性格不合，在需要合作時卻無法提升效率，有時甚至無法完成任務；或者有一方勉強隱忍，但在背後大肆抱怨，形成部門積怨。

如果你有類似的問題，不妨嘗試以下的方法：

一、訂立明確一致的目標

其實那些賽場上的黃金搭檔們也是這樣做的。兩個人都可以有主見，但目標必須統一。統一的目標是搭檔們聯手的最根本動力，也是合作的大原則所賴以產生的核心，所以必須最先搞清楚。如果連目標都無法達成共識，那根本就沒有合作的必要。

二、除了尊重，還是尊重

如果是一個人可以完成的事情，上級一定不會安排兩個人來共事。也就是說：「你的搭檔一定不是多餘的。」因此，承認他的價值，尊重他，並獲得他的尊重，是雙方合作相當重要的基礎。

三、退一步海闊天空

共事的兩人如果在各方面都很強勢的話，便難以順利合作，總需要一個人來扮演主導的角色，才能最有效地推進工作的開展。因此，各自在對方強的方面做出適當讓步，揚己所長才是最明智的選擇。以大局出發，才是聰明的作法。

四、變換溝通的方式

因為性格的不同，你和搭檔也許無法像朋友那樣透過友好的交談來溝通。沒關係，溝通方式也不止一種，可以變換一下方式。溫柔一點的，可以偷偷地觀察對方的習慣，向熟悉他的「第三者」打聽；直白些的，乾脆就吵架好了，其實吵架也是一種溝通方式，當然，吵架的目的是為了要處理事情，是為了要達到令雙方都滿意的共識，而非為吵而吵。

抱著體諒同事的心情，你就能收買人心

在工作中，每一個人接觸最多的就是同事。同事可能會分化為上級、下屬、競爭對手，無論如何，同事之間的相處最需要的是尊重，應該真誠地對待同事，小心謹慎地處理與同事之間的關係。別人對待你的方式，往往反映出你對待他人的方式。退一步，海闊天空。善待別人，就是善待自己。

我聽一個自己開公司的朋友講過他公司裡的一個故事：

二〇〇三年SARS橫行的時候，陳慧成為辦公室裡最受人歡迎的職員，因為，她付出了自己的真誠。在那個時期，每個人都成為別人的敵人，沒有人敢與別人近距離接觸，也沒有人敢上班，而陳慧則主動承擔起值班的重任。有一位同事的孩子就讀的學校出現了SARS病例，所以大家都疏遠了他，只有陳慧還勇敢地打電話給這個同事，請他到辦公室來領取單位發放的藥和口罩。當這個同事來到公司時，連警衛都戴著口罩躲避他，只有陳慧依舊平靜地向他噓寒問暖，並且親手把藥遞到了他的手裡。陳慧真的像對待家人一樣對待辦公室的每一個同事。所以，在下半年選舉部門經理的員工意見調查中，陳慧得票最高。

要學會站在別人的角度為別人設想，這樣，才能更多地體會到別人的心情。用體諒自己的心情體諒他人，你將能順利地收買人心，為自己的未來存下深厚的人脈存摺。

一句話，能改變你的一生

尊重那些你覺得不起眼的人，也許他們之中藏龍臥虎，日後將助你一臂之力。拿出真誠的心凝聚你的人氣，也許在某個關鍵時刻裡，他們能幫上你的大忙。

成功者通常有一個好搭檔；失敗者通常沒有搭檔，或者是選錯了搭檔。在團隊中，給別人留餘地就是給自己留餘地，給人方便就是給自己方便，善待別人就是善待自己。

02 讓同學聚會成為你向上提升的機會

同學會的形式與內容應該要豐富，並且要提高層次，不要只是停留在喝酒、打牌、唱歌等一些比較像是玩耍的活動中。應該把大學同學的「聚會」當成真正激勵自己、提升自己的「機會」，如此一來，既加深了友誼，又發展了自己，何樂不為？

別讓同學關係限制你的發展

同學之間的情誼是非常寶貴，也是非常純真的，沒有進入社會後與人交往的那種功利性。可以說是人生中非常值得珍惜的一段感情。

也因為如此，在畢業後的前幾年，大部分在同一個區域上班的同學，由於還沒有建立家庭，就會不時湊在一塊。這本來是好事，也是很正常的，人們總是習慣待在自己熟悉的圈子，剛畢業的時候，其他社交圈還沒建立起來，同事之間又沒有太多情感上的交流，於是大學同學肯定是最合適的人選。然而，這麼做容易限制自己的發展，而且是畢業後這關鍵的幾年。但是，如果懂得運用同學的人脈關係，為自己找出相關的發展機會，就又是完全不同的結果了。

不要在同學的身上尋找自己的痛苦

大學同學的聚會上，難免看到哪位同學買的

豪華轎車，或者聽說哪位同學買了房子之類的事情，也許你表面上波瀾不驚，非常淡然。但是，在聚會結束後回家的路上，或者回到家後，你內心深處會不會這樣想呢？「哎呀！想當年我成績比那個誰好多了，怎麼他現在當上經理，我還是個小職員啊！」「想不到啊！才畢業不到一年他就買了房子，我怎麼還在租地下室呢？」……

如果是的話，那麼就等於是「在同學的擁有裡尋找你自己的痛苦。」你既想從同學的擁有裡找自己的影子，又想抓著同學這根繩子從自己的不足中跳離。於是，當在找不到自己的影子和無法跳離時，你就開始怨天尤人了。如此，久而久之生活變成了負擔，隨之便會覺得生活充滿了痛苦。

我的個人建議是，大學同班同學聚會是必要的，但還要擴展自己的交往層面。比如，可以多找在同一個行業裡發展的學長學姐，他們有過來人的經驗，即使他們發展得比你好，你也心安理得；或者可以找與你相鄰行業的朋友或校友，大家都在奮鬥，又是不同行業，收入不同你也不會感到眼紅，而與他們交往聚會，還能提供你一些對職業發展有益的資訊。

別讓同學會變成「甜蜜的負擔」

一般的大學同學聚會都是這樣的：

找個理由，比如哪位同學過生日，於是在某個週五或週六晚上，提前通知好一個聚餐的地點，大家陸陸續續地前來，開始吃飯，一幫人熱熱鬧鬧，有說有笑。不過，和當年畢業謝師宴時的依依惜別、淚眼朦朧相比，畢業後的聚會，大家顯得用力過度，大聲喧嘩、使勁喝酒抽煙，根本就沒有說話、談心的機會。

飯吃完了，有的回家，有的續攤，換個地方繼續喝或找個地方K歌，有時候甚至還打牌玩通宵。年輕人興奮起來總是有無窮的精力，一個晚上都不累。可是第二天，卻因為前一晚上的通宵而精神不濟，昏昏沉沉，甚至影響了本來安排好的事情。

同學聚會最令人快樂的是好久不見的同學又能聚在一起，交換生活的見聞和感觸。可是，一旦聚會的形式總是像上述那樣，就成了「甜蜜的負擔」，不管是在經濟上、身體上，還是精神上都會有一定的壓力。

提高聚會的層次，豐富聚會的內涵

既然大學同學聚會不能只是喝酒、唱歌、打牌，就要逐漸提高聚會的層次，豐富聚會的內涵。以下是我的幾點建議：

一、少喝酒，盡興即可，不要一醉方休

喝酒只是聚會時助興的一個工具，而不是為了喝酒而喝酒，喝酒能使大家心情放鬆，但沒必要非得不醉不歸，爛醉如泥。萬一出了什麼事，不僅是掃興，更可能後悔莫及。

二、少花錢，太高檔的地方沒有必要去

雖然已經畢業了，但是收入還是有限，沒必要去那種太高檔的地方。一般聚會都是各付各的，而大家收入不同，消費太高有的人會承受不了。要是那種一個人花錢請大家的聚會，那就對經濟有更大壓力了。

三、多展開一些對職業成長有用的話題

在聚會時，講一些蜚長流短的瑣碎小事，或者娛樂圈哪個明星是同性戀之類的無聊話題肯定是少不了的，但更要聊一些各自職場的經驗與教訓，既可以尋求大家的建議，又可以給大家提供一個有益的借鏡。

四、多交流一些與行業發展相關的資訊

大學同學，由於是同一個專業，大部人就會從事同一行業或相關行業。多和大家分享一些你瞭解的資訊，說不定你能從一次聚會中得到一次成長或轉折的機會。而且，和大家分享行業發展資訊，能擴展你的知識面，對你的工作必有幫助。

五、增加聚會的人群，不要侷限於同學

一起上課一起生活的室友、同學和室友的兄弟姐妹關係是首先要維護的；同個學院的同學也可以聯繫，畢竟一起上過通識或共同科目，所以多認識些，說不定哪天他們會成為你的貴人；然後就是校友，這些人所處的行業一般來講也會和你有或多或少的關係，如此一層層遞進，你的人脈圈就會逐漸擴大。

六、聚會不要太頻繁，五到十年剛剛好

剛剛畢業的同學，一般都是在行業裡的基層，要說誰能幫得上誰，還真是比較難。其實，在大家畢業五年甚至十年時，再好好地聚一次，就會發現各自的變化很大，這個時候，大家的資源以及人際關係才能真正用得上。這樣的聚會，才會有更大的意義。

一句話，能改變你的一生

燈紅酒綠，是人生的浪費，要做一些有意義的事，不要在推盞交杯中揮霍青春。懂得經營富有內涵的同學聚會，就能讓你的職業道路更順遂。

03 閱人無數，不如有貴人指路

讀萬卷書，不如行萬里路；行萬里路，不如閱人無數；閱人無數，不如有貴人指路。在職場中想打開眼界，一方面要靠自己觀察和領悟，另一方面也要靠貴人指點。這個貴人可能不是什麼方面的專家，但是在某一特定時刻、特定環境下一定能對你有所幫助。

三十歲前靠能力賺錢，三十歲後靠人脈賺錢

職業發展中什麼最重要？是個人核心能力。第二重要的是什麼呢？是人脈，很多人在三十歲以前靠專業能力賺錢，三十歲以後靠人脈關係賺錢。貴人是個人事業成功與否的重要因素之一。

良好的人脈關係能為自己增加職業發展機會。根據人力資源管理協會與《華爾街日報》共同針對人力資源主管與求職者所進行的一項調查顯示：「百分之九十五的人力資源主管或求職者透過人脈關係找到適合的人才或工作，而且百分之六十一的人力資源主管及百分之七十八的求職者認為，這是最有效的方式。」

人脈關係的其他作用還在於有助業務發展，對個人職業指導起到重大作用，也有助於專業技術上的交流與溝通。

懂得創造貴人就能找到商機

通用電氣前總裁傑克．威爾許認為，他輝煌的事業成就有很大一部分要歸功於在工作生涯中遇到的貴人。他在自傳中這麼寫道：「貴人似乎總會在我的身旁出現，扶持我、鼓勵我。」

威爾許剛進通用電氣工作時，曾經因為通用電氣的小氣作風與加薪問題而遞出辭呈。但當時威爾許的上司魯本．賈多福相當賞識他，邀請他共進晚餐來加以挽留。席間賈多福答應為威爾許提高加薪幅度，更重要的是，願意支持他不受官僚體制的影響。賈多福的心意讓威爾許大受感動，因此決定繼續為通用電氣打拚。

威爾許的另一個貴人，是他在產品事業群工作時的主管查理．李德。一九六三年，威爾許曾因為進行化學實驗不慎，差點炸掉整棟工廠大樓。當威爾許向李德報告時，本身是化工專家的李德沒有痛罵威爾許，反倒以理性的態度幫助他解決問題、為他打氣，不僅讓威爾許在通用電氣的前途沒有受到影響，也讓威爾許學習到領導者應有的風範。

通用電氣前副董事長赫姆．魏斯，更是威爾許心目中非常重要的貴人。魏斯與威爾許無話不談，也一直協助向來有話直說的威爾許和通用電氣的高層溝通。甚至在去世前，魏斯還不忘向當時的董事長瑞吉納．鐘斯推薦威爾許是「通用電氣裡頭真正有前途的人」。

威爾許強調：「我無論到哪裡，似乎總能找到良師益友，若非這些人鼎力相助，或許傑克．威爾許這個傢伙會一輩子默默無聞。」

職場前輩能幫助你迅速成長

不少剛入職場的新鮮人，由於對新環境感到陌生，特別喜歡找那些一起進入公司的「難兄難弟」，尋求一種相依為命的同袍情感，無論什麼時候、什麼事情都喜歡在一起討論或互討救兵，覺得這樣才有安全感。其實，這麼做當然有某種程度的幫助，且可以和同事建立起「革命情感」，但是，如果想要迅速地成長，職場新人還是需要尋找一個在職場上和你投緣的前輩。只有向那些某方面比你優秀、和你志趣相投的前輩請教，你才能迅速學習到工作上的技能或一些寶貴的見解，進而比別人成長得更快。

具體而言，找個值得學習的前輩對你有以下幫助：

首先，在前輩的帶領下，你能快速地瞭解到在工作過程中需要掌握的相關人際關係和管理技能，從而適應企業發展的需要。

其次，促進你與公司企業文化的融合。透過前輩的帶領或觀察前輩的工作過程，能更全面地瞭解公司的文化，從而促進你對公司文化的認同，同時也縮短了你融入公司文化的時間。如此一來，你就能把自己培養成符合企業發展要求的人才，最大限度地發揮出自己的潛能，使你對自己的發展前途和空間充滿信心。

接著，使你的技術純熟期縮短。大部分的新員工都是剛從校園中畢業，理論掌握得不錯，但技術上除了實習和兼職時有經驗，基本上都算是空白的。而那些有一點工作經驗的員工，儘管以前對技術不陌生，但畢竟到新的環境，也需要有個銜接的過程。如果有了前輩的指導，你便能迅速提升自己到達勝任的階段，更快地達到職位的要求。不僅如此，你個人能力的提升，還能提高公司的整體績效及員工的平均績效。

一句話，能改變你的一生

有時候，某人的一句話語令你茅塞頓開，這個人就是你的「貴人」。

有時候，某人的舉手之勞幫你卸掉重擔、輕裝上陣，這個人也是你的「貴人」。

生命中的貴人與職場上的前輩，是人品、處世、專業能力樣樣都比你強的人，是可遇不可求的，不過每個人在漫長的職業生涯中一定可以遇到，如果遇上了，請你不要忘記尋求他們的幫助。

04 如果利潤百分之十是合理的，還是拿百分之九為上策

香港首富李嘉誠說：「如果利潤百分之十是合理的，而拿到百分之十一會更有賺頭，但還是拿百分之九為上策，因為只有這樣才會有後續的生意源源而來。」共贏，才能在皆大歡喜中各有收穫！

共贏是在和諧中各有收穫

我雖然從小在海邊長大，但關於海洋生物的一些小知識我並不是非常清楚，比如關於螃蟹吐泡沫的真正用意，我也是後來看書才搞懂的。

螃蟹在陸地上也可以生存，不過離開水的時間不能太久，所以離開水後牠們就不停地吐泡沫來弄濕自己和夥伴。一隻螃蟹吐的泡沫不大可能把自己完全包裹起來，但幾隻螃蟹一起吐泡沫連接起來就形成了一個大的泡沫團，也就共同營造了一個富有水分的生存空間，彼此都爭取到了生存的機會。

螃蟹們正是因為通力合作，形成了「共贏」的結果。

美國心理學家湯瑪斯・哈里斯在《我好，你也好》一書中，按照人格的發展，將團隊中各人之間的關係分為四種類型：我不好，你好；我不好，你也不好；我好，你不好；我好，你也好。

其中第四種關係類型——我好，你也好，是成熟的人格表現。

然而，現實生活中，不少人大腦裡普遍存在的是「非贏即輸」的思維或「單贏」的思維。抱持「非贏即輸」思維的人只顧及自己的利益，只想要自己贏而別人輸，把成功建立在別人的失敗上，比較、競爭、地位及權力主導他們的一切；而「單贏」思維的人則只想得到他們所要的，雖然不一定要對方輸，但他們只是一心求勝，從不關心對方是贏是輸。

共贏是年輕人成就大事業的前提。一個人的成長是依賴——獨立——互賴的過程，最高的境界就是共贏。小成功靠自己，大成功靠別人。實現共贏的最終目標是在和諧中各有所獲。

懂不懂合作，造就天堂與地獄的區別

或許你也讀過這樣的一則寓言：

有個大善人臨終前，天使特地下凡來接引他上天堂。天使說：「大善人，由於你一生行善，成就很大的功德，因此在你臨終前，我可以答應你完成一個你最想完成的願望。」

大善人說：「神聖的天使，謝謝您這麼仁慈。我最大的遺憾就是，我一生信奉主，卻從來沒見過天堂與地獄究竟長什麼樣子。您可不可以帶我到這兩個地方參觀參觀？」

天使說：「沒問題，因為你即將上天堂，因此我先帶你到地獄去吧！」

大善人跟隨天使來到了地獄，在他們面前出現一張大餐桌，桌上擺滿了豐盛的佳餚。

「地獄沒有想像中的悲慘嘛！」大善人很疑惑。

「不用急，你再繼續看下去。」

用餐時間到了，一群骨瘦如柴的餓鬼魚貫入座。每人手上拿著一雙長長的筷子。他們用盡各種方法，嘗試用手中的筷子去夾菜吃。由於筷子實在太長，最後每個人都吃不到東西。

「實在是太悲慘了，給他們食物的誘惑，卻不給他們吃。」

「你真覺得很悲慘嗎？我再帶你到天堂看看。」

到了天堂，同樣的情景，同樣的滿桌佳餚，每個人也都是用一雙長十幾尺的筷子。不同的是，圍著餐桌的是一群洋溢著歡笑、長得白白胖胖的可愛人們。他們同樣用筷子夾菜，不同的是，他們餵對面的人吃菜，而對方也餵自己吃。因此，每個人都吃得很愉快。

天堂與地獄的區別就在於，人與人是否懂得相處與合作。只有學會了合作，才能共贏。

一句話，能改變你的一生

十九世紀的著名心理學家榮格說：「我＋我們＝完整的我。」

絕對的「我」是不存在的，只有融入我們的「我」，才能實現真正的我。

05 分享，是年輕人必修的生活雙贏藝術

想要得到更多，就要捨得給予與分享。在給予的過程中，你得到的將比原來付出的更多。在分享的過程中，你得到的除了更多物質上的財富回報之外，還有很多無形的東西，例如別人的好感、信任和合作，這些都將幫助你獲得更多的財富，取得更大的成功。

「給予」是「得到」的基礎

「贈人玫瑰，手留餘香。」學會分享是美好人性的呈現，也是一種必須學習的處世智慧和快樂之道。學會分享，你會感受到捨己為人、不求任何回報的快樂和滿足。

只有主動向別人伸出手，才能抓住別人的手。如果把自己的手握得緊緊的，當別人向我們伸出援手時，我們還會以為他是想來索取什麼而躲藏起來，那我們需要的支援又能從哪裡來呢？

我們還年輕，畢業沒幾年，有的是精力，有的是年齡優勢，和那些在職場上混了很多年的「大哥級」人物相比，我們的心態要比他們柔軟許多，為什麼我們不適時地幫助他人呢？只有在年輕時學會分享，把幫助他人當成是一種習慣，那麼，這種「給予」在某一天才會變成一種「得到」！

每個善行都是一顆會發芽的種子

有一個年輕人，在大學畢業後的幾年裡，透過自己的資源與關係，經常幫周圍的一些朋友以及母校的學弟妹們介紹工作。平時，要是有新人到他的公司去上班，他也都非常熱心，引導他們儘快地進入工作狀態、瞭解公司的文化，還把自己的經驗毫無保留地教給他們。

然而，人總是來來去去，有些離開之後便一直沒再聯繫。有時，這個年輕人心裡不禁有點惆悵與失落，但這種失落又不能對身邊的人說。

有一年夏天，他到外地旅遊，在一家寺廟認識了一位慈眉善目的老和尚。這位老和尚鬚眉皆白，說起話來特別有禪意。在聊天過程中，年輕人把自己的惆悵向老和尚傾訴一番，他覺得反正也不是很熟，說了也沒什麼關係，就當作吐一下苦水，發洩一下心中的傷感。

老和尚靜靜地聽年輕人講完，然後微微一笑，把年輕人帶到一棵樹下，他雙手合十，畢恭畢敬地向樹深深行了三鞠躬。然後，老和尚說：「你知道我和這棵樹的故事嗎？這棵樹是我幾十年前種下的，在我失落甚至失敗的日子裡，全靠它替我遮陽蔽日、擋風躲雨。如今，它已經長在我心底了。其實，在你那些幫助過的人心目中，你就是這樣一棵樹，他們都是在你身邊棲息過的鳥。他們雖然沒飛回來，但你已在他們心裡扎了根。」

年輕人聽了，頓時大悟，心中惆悵也一掃而光。回去後，他還是和以前一樣熱心地幫助別人。

給予者永遠是埋在收受者心底的一粒種子，隨著歲月流逝，它不會被掩埋，而是生根發芽，慢慢長成一棵參天大樹。等這棵樹成長茁壯時，那些過往的鳥飛累了的時候會停下來在上面棲息，為它帶來鶯歌燕語，為它帶來勃勃生機。這，難道不是一種回報嗎？

種樹者最大的樂趣在於，所播下的每一粒種子都會發芽並帶來豐收。我們正年輕，應該把目光放遠一些，相信自己今天做的每個善行，以後都會有相應的回報！

與人分享，是一種自信的表現

美國有個州每年都舉行南瓜品種大賽，有個農夫經常是頭獎的得主。奇怪的是，他得獎後，在街坊鄰居間分送得獎的種子時，一點也不吝惜。鄰居很驚訝地問他：「你的獎得來不易，投入大量的時間和精力來改良品種，為什麼還將種子送給我們呢？難道不怕我們超越你嗎？」

對此，他充滿自信地微笑著答道：「我無法避免鄰居的花粉隨著風飄到我的田裡，倘若我不將好的種子分給每個鄰人，那麼飄過來的花粉不好，也必然會使我的田地產不出好的品種。所以，我將種子分給大家，看起來是為了幫助大家，其實也等於是幫助我自己，只有在我周圍的南瓜品種都是好的，才能保證我的田裡產出最好的品種。而我雖然得了獎，不會就此鬆懈，坐享其成，我會繼續努力研究改良，因此當別人趕上我去年的水準時，我早已又往前邁出了一大步，所以我從來不擔心被別人超越。」

周圍有些人常常吝於與人分享經驗，深恐別人知道自己的方法後會超越自己，在我看來，這是一種「沒自信」的表現。

一句話，能改變你的一生

分享，是一種雙贏的藝術，是一種生存的智慧。

懂得分享的人，能使堵在前面的高牆倒下，走進春意盎然的花園，尋找到特殊的快樂！這種快樂是心中的福田，不斷地耕耘才能收穫。它就在你我心中，而不必在大千世界裡苦苦地求索。

黃金課程第7堂

心態修煉術

態度，決定你的高度

有的人以錯誤的思維去想問題，結果變得更悲觀甚至放棄夢想；有的人則以正確的思維去看待，使自己成了自己生命中的贏家。其實，現在的你是什麼不重要，關鍵是你怎麼想。想法的能量所帶來的影響，將遠遠超過知識、技能……這些外顯的能力。改變你的心態，你可以改變整個世界看待你的眼光。

01 「多元思維」讓你擁有一個立體人生

大部分剛在社會上立足的年輕人，思維模式正處於一個有待建立與完善的過程。在這個過程中，很容易受到過去思維的限制，也就造成了很平面、單一的人生。單一、平面的人生或許簡單，但卻也危險，因為當你遇到難題時，單一的思維使你容易鑽牛角尖，更容易看不見近在眼前的解決方法！

單一思維使你只能在成功周邊繞圈

衡量一個人成功的單位不是職位高低，不是學位高低，更不是家庭背景，而是思維的廣度。無論是解決新問題，還是針對舊問題尋求新的解決方案，善於改變自己的思維、思維廣度夠的人，能夠不按照常理去想問題，就會取得非同一般的成效。

如果總是停留在那種「非左即右、非黑即白、非錯即對、非此即彼」的單一思維方式裡面，那麼，你就永遠只能在成功的周邊繞圈。建立多元的思維模式，才能很好地化解問題、取得成功，從而擁有一個立體飽滿的人生。

「踩地雷」的啟示

二〇〇九年五月，我參加了一次團體戶外訓練活動。我印象最深刻的活動項目是「踩地雷」。

規則很簡單：在團員面前有一個由數字組

成的方格陣，每個方格裡都有可能埋有「地雷」，闖雷陣者每次只可以沿著相鄰的方格前進，踩到地雷時必須按原路返回，限時四十分鐘。

隊長開始探路了……「此處沒有地雷，可以前行！」……「此地是雷區，請原路退回！」可是，一開始，大家七嘴八舌，亂七八糟的，有時哪個方格有地雷，哪個方格沒有地雷也記不清楚了。

此時，有人建議拿小石塊放在有地雷的格子上用來提示，教練沒有反對。接著，水瓶、鑰匙扣、門卡……全用上了。的確，教練沒有說不可以用啊！於是，我們又重新開始探路。

一次次嘗試，一次次失敗。隊長受到教練示範的誤導，覺得所謂的「相鄰」就是上下左右，於是按這個思維試探，每條路線都試過了，卻換回一條橫在我們面前被封死的路！

我突然想到：斜著的也是相鄰啊。於是，建議隊長試著走了一步，發現教練說「此處沒有地雷，可以前行！」，所有人都恍然大悟了。於是，我們又繼續努力……可是，我們發現走來走去還是過不去。時間不多了，一定還有其他方法。這時，不知誰大喊一聲：「左右兩邊的紅色區域我們沒有去過！」對啊！遊戲規則裡沒有說不可以踩紅色區域！遊戲中所謂的「懸崖」是整個框的外面，沒有說這個紅色區域就是懸崖啊！不如試試看吧！反正已經無路可走了，就「死馬當活馬醫」吧！

隊長蹦進了左側的紅色區域，大家一齊把目光投向了教練，教練喊道：「此處沒有地雷，可以前行！」我們頓時歡呼雀躍。最後，我們又不斷探索，終於，隊長順利通過。接

著，隊友們一個個沿著這條正確的路線奔向了安全區。歷時三十七分四十秒，我們成功地穿越了雷區。

這個活動給了我很大的啟發。

人們對於沒有經歷過的事情，總是以一種固有的思維來指導自己，就像聽到「相鄰」就認為是上下左右，看到雷陣兩側的紅色區域就認為是「危險地帶」，固守著思維定勢不敢輕易踏入。這就像我們在年輕的時候，雖然也有冒險的勇氣，但是由於人生閱歷不夠豐富，因而缺乏多元的思維，結果把自己侷限在一個很小的空間裡，甚至讓自己走進了「死胡同」。於是，心靈也就越來越封閉，視野也越來越狹窄。

請勇敢掙脫鎖住思維的鏈條

某公司招聘員工，有一道試題是這樣的：

一個狂風暴雨的晚上，你開車經過一個車站，發現有三個人正苦苦地等待公車的到來：第一個是看上去瀕臨死亡的老婦，第二個是曾經挽救過你生命的醫生，第三個是你的夢中情人。你的汽車只能容得下一位乘客，你選擇載誰？

每個人的回答都有他的理由：選擇老婦，是因為她很快就會死去，我們應該挽救她的生命；選擇醫生，是因為他曾經救過我的命，現在是報答他的最好機會；選擇夢中情人，是因為如果錯過這個機會，也許就永遠找不回她（他）了。

在兩百個候選人之中，獲聘的那一位答案是什麼呢？

「我把車鑰匙交給醫生，讓他趕緊把老婦送醫；而我則留下來，陪著我心愛的人一起等候公車的到來。」

多麼圓滿的回答啊！想想的確如此。為什麼我們就不能換一種思維方式？用極富創意的方法來解決某個問題，既可以為平淡的生活增加樂趣，又可以使問題迎刃而解，多好啊！

在成長的過程中，有許多肉眼看不見的鏈條繫住了我們，這些鐵鏈造成了固定的思維模式，使我們無法跳脫出來，因而不斷地重複錯誤，難以有新的突破。如果，當你發現自己被那一條條鐵鍊鎖住時，要夠敏感、夠勇敢，當機立斷地掙開它們的捆綁，才能使自己的潛能得以發揮。

不是路到了盡頭，而是該轉彎了

曾看到一位女生寫的文章，讓我感觸很深。

因為初戀的失敗，這個女生一直擺脫不了失戀的痛苦而有了輕生的念頭，在她準備跳下懸崖的那一刻，她看到了刻在石壁上的一句話：「不是路已走到盡頭，而是該轉彎了！」突然間，她明白了自己的行為是多麼的愚蠢。

最後她寫道：「曾經的我，被一個不速之客擾亂了平靜的生活，卻也不經意的被另一個不速之客救贖了。生命不可能總是一帆風順，風雨也會夾在其中，但風雨並不代表路的

盡頭，它是在提醒你，該轉彎了。」

「不是路已走到盡頭，而是該轉彎了！」這句話真有道理！

當你遇到一件無法解決的事甚至已經影響到你的生活、心情時，何不停下腳步，想一想是否還有轉寰的餘地？或許換種方法、換條路走，事情就會變得簡單。

在畢業這幾年的生命中，我們不是每一條河都能順利渡過，其實，遇到過不了的河時掉頭而回，也是一種智慧。培養自己擁有多元的思維，人生旅程就多了很多條道路，也許會多花一些時間，但一樣能夠通往你所期待的成功。

一句話，能改變你的一生

世界正是因為有了五彩繽紛才美麗，人生正是因為有了多元思維而精彩。

另一種觀點存在，只能說明別人與你的看法不同，卻並不代表他是錯的。世界存在著各種人、各種可能，假如你是烏龜，就不要和兔子比賽跑，而要和他比長壽！

02 懂得感謝，讓人際關係活絡

年輕人可以神采飛揚，有時甚至能夠得意洋洋，但是一定要記住一點：人生的路還很長，千萬不要太自以為是，以為全世界的事都在你的掌握之中。此外，不管你過去就讀的學校如何，也不管你以前的工作如何，既然你接受了這份工作，就要感謝公司給了你一個平臺，感謝長官給了你一個機會。對公司忠誠，對工作敬業，永遠懷著一顆感恩的心。

感恩，讓工作變快樂

不管你現在從事什麼職業，只要用感恩的心來對待工作，工作時就會更有衝勁！

人生在世，不可能孤立存在，在生存的環境中，我們的每一步成長、每一次成功，都是周圍種種力量的合作所致，都是在親情、友情的烘托下取得的。

心懷感恩，你就會珍惜你身邊的所有一切，用感恩的心去對待工作，才能在工作中更好地展現自我，實現自己的人生價值。

不論做任何事都要心甘情願、全力以赴，當機會來臨時就要及時把握住。千萬不要怨天尤人，覺得工作沒有意義，這樣只會做得心不甘、情不願，心存怨恨。

仔細想一想，自己曾經從事過的每一份工作，都給了我們許多寶貴的經驗和教訓，這些都是人生中值得學習的。如果我們每天都能帶著一

顆感恩的心去工作，我們就能享受到工作時的快樂，從而帶著一種從容、喜悅的心情，自然而然就容易獲取成功。

抱怨只是暫時的鎮痛劑，感恩才是工作的長效藥

在職場中常常聽到有些年輕人這麼抱怨：「我這麼辛苦地工作，薪水才那麼一點；這裡的同事不好相處，老是處處找我麻煩……」工作對他們來說，總是處處不如意。於是，他們便不停地跳槽，然而當他們變換了工作後，聽到的依然是抱怨聲。

抱怨是一種合情合理的情緒，當心中怨氣堆積成山的時候，不宣洩反而會憋出病來。只不過，抱怨只是一種心理鎮痛劑，我們可以抱怨一時，卻不能抱怨一世。

人生有三分之一的時間都是在工作中度過，與其讓腦細胞因怨恨、憤怒而受損，不如修整一下心態，用一顆感恩的心來對待工作。

工作好比栽種一棵蘋果樹，我們每天為它剪枝、修葉、澆水，等到了秋天，當我們望著被果實壓彎的枝條，品嚐著酸甜的蘋果時，我們首先應去感恩那棵樹，因為是樹給了我們收穫果實的喜悅。如果沒有蘋果樹，那麼想去澆水也無處可澆，更別說要吃到蘋果了。

大部分人只惦記自己的辛勞付出，而遺忘了更需要感恩的人和事。其實在人生的旅途中，值得感謝的很多，只要你用心感受，就會發現許多應該感恩的人和事。如果你每天能懷著一顆感恩的心去工作，相信工作的心情與態度自然是愉快而積極的，而創造出的價值

更是無法比擬。當你用實際的行動，把感恩的心帶到工作之中，就會發現工作回報給你的更多。

一句話，能改變你的一生

把感恩刻在石頭上，深深地感謝別人幫助過你，永遠銘記在心；把仇恨寫在沙灘上，學會寬容，讓所有的怨恨隨著潮水一去不復返。

學會感恩、寬容，心便沒有容得下仇恨、憤怒的空間；放下妒忌、貪婪，便是放過自己。學會更愛自己，便是丟掉負面情緒的開始。

03 學會把每天當成一個新的起點

從畢業那天開始，學會把每天都當成一個新的起點，讓每一份新工作都從零開始，進行每個任務時都抱著一種嶄新的思維去學習並完成。如果懂得把「歸零」當成一種無時無刻要做的事情，那麼，也許只要短短幾年，你就可以完成自己職業生涯的正確規劃與自我超越。

「空杯思維」，幫助你走上職業坦途

古時候有一個佛學知識很好的人，聽說某個寺廟裡有位德高望重的老禪師，便前去拜訪。

老禪師的徒弟接待他時，他態度傲慢，心想：「我這麼懂佛學，你算老幾？」

後來，老禪師十分恭敬地接待了他，並為他沏茶。可在倒水時，明明杯子已經滿了，老禪師還是不停地倒。

他不解地問：「大師，為什麼杯子已經滿了，您還要往裡面倒茶？」

大師說：「是啊！既然已滿了，幹嘛還倒呢？」

禪師話中的意思是：「既然你已經很有學問了，幹嘛還要到我這裡求教？」

功夫巨星李小龍非常推崇一句話，涵義也與這位禪師的話非常類似：「清空你的杯子，方能再行注滿，空無以求全。」

良好的「空杯思維」是年輕人在畢業後面對

人生和職場上的失敗必不可少的心理武器。失敗了又怎樣？從頭再來嘛！空杯思維，更能讓你的學習成效達到最高，成就工作中所需的一切必備能力。

許多今日取得一定成就的人，在職業生涯開始時都是把自己沉澱再沉澱、倒空再倒空、歸零再歸零，正因為這樣，他們的人生才能一路高歌，一路飛揚。

一句話，能改變你的一生

有捨才能有得，杯空才能水滿，放下才能超越。

年輕人難免帶著幾分傲氣，認為自己無所不能、所向披靡。其實，初入職場的新人還是個「嬰兒」，正處在從爬到走的成長階段。在畢業後這幾年裡，一定要讓自己逐步培養起「空杯思維」，具有這種思維的人心靈總是敞開的，能隨時接受偉大的啟示和一切能激發靈感的事物，時刻都能感受到成功女神的召喚。

04 記住：公司的利益就是你的利益

用自己的錢辦自己的事—既節約又有效率；用自己的錢辦別人的事—節約但沒有效率；用別人的錢辦自己的事—不節約但有效率；用別人的錢辦別人的事—不節約也沒有效率。很多人把自己當成公司外的人，把老闆的錢當「別人」的錢，把老闆的事當「別人」的事，最後的結果是什麼呢？就是老闆也把你當成一個外人。

假設你是老闆，你會怎麼做？

有些人畢業好幾年了，始終不知道自己適合做什麼，雖然有著「遠大的理想」，卻對工作缺乏熱情，每天茫然度日。其實，這些人缺乏的主要是對待工作的良好心態。每個人的工作職位不同，但若以積極向上的思維對待工作，像老闆一樣熱愛自己的公司，把老闆的公司當成自己的公司，你就會喜歡上你的工作。

不妨換個角度思考一下，假設你是老闆，目前正在經手的這個專案是不是需要多考慮一下，再做投資的決定？如果你是老闆，面對公司中無謂的浪費會不會採取必要的措施？如果你是老闆，對自己的言行舉止是不是應該更加注意，以免造成不良的後果？

工作的時候，如果能夠把自己當作像老闆一樣，那麼所有的決定對你而言都會變得和自己非常有關聯，在下決定的時候，也就會考慮得更周全。這麼做最直接的好處就是，因為你的努力為公司創造了利益，進而使自己連帶獲得了更多的利益。

此外，當你把自己當作老闆的時候，工作起來會更加地主動積極。站在主管或老闆的立場，看到一個員工為公司如此地賣命、設想周到，肯定也會對你留下良好的印象，想當然，在考慮哪個員工適合晉升的時候，你也會是他們考慮的首選。

具備「老闆思維」的人，才是真正的老闆

我認識一位做IT傳媒行業的老闆，因為志趣相投，年齡也差別不大，我們經常相約見面。有一次，我們一起在咖啡店裡聊天，他向我訴說了他的苦惱：

「我是公司的負責人，員工都叫我老闆，因為我用自己累積的資金創辦了這家公司。我經常要陪客戶應酬，推銷我的產品及服務，每個月也要張羅員工的薪資，遇到員工身體有病痛或是心情不好，我還得小心伺候，免得他一時之間突然離職。

這一陣子經濟實在是很不景氣，客戶的預算大幅縮水。然後一下子下大雨，一下子又淹水，搞得我都不知道該怎麼辦，以我的立場來說，每放一天假我就損失多少錢，每泡掉一台電腦我就損失多少錢，錢、錢、錢，通通都要錢！我常在想，萬一不幸有一天我垮了，有多少員工會替這家公司或這個事業來著想？

景氣不錯的時候，我得用很多花招來吸引這些所謂的人才，其中股票期權是我最反感

的一件事情，為什麼我用許多年辛苦存的錢才創辦的事業，這些員工卻這麼輕易來瓜分我辛苦奮鬥的成果？當景氣不好的時候，就像是現在，有多少員工會念在當初曾經一起奮鬥的情誼而選擇留下呢？不會，因為我永遠都叫老闆，他們永遠叫員工。」

聽完這位朋友的自述，我笑著在紙上寫了四個字：「老闆思維」。我認為他那些員工之所以這樣讓他煩惱與操心，就是因為缺乏老闆思維。

老闆思維具體來說，是一種使命感、責任心、事業心，是一種大處著眼、小處著手的工作精神，是對效率、效果、品質、成本、品牌等方面持續的關注與盡心盡力的工作態度。

有些人，別人叫他老闆，他也以老闆自居並洋洋得意，其實，他並不是真正意義上的老闆，因為，他沒有老闆思維。有些人並沒有老闆的頭銜，甚至從事的是十分瑣碎或簡單的工作，但他可能卻是真正意義上的老闆，因為他具備了當老闆的基本要求和素質——老闆思維。

把公司當成你的家

小麗畢業後到一家醫院的體檢中心當一名記錄員。在這樣相對比較清閒的單位裡，儘管她的上司和同事都養成了偷懶的惡習，但是在這兩三年裡，小麗仍然保持認真做事的良好習慣，重視每一項工作。

有一天，上司請小麗幫忙整理一份院長要前往杭州開會用的醫院介紹資料。小麗並沒有像別的同事那樣，隨便找點資料湊在一起就敷衍了事，而是精心地編了一本小巧的冊子，而且還用電腦設計了一個風格清新的封面，最後又仔細裝訂好。做完之後，便由上司交給院長。

「咦？這次的介紹資料怎麼和往年不一樣？這大概不是你做的吧？」院長說。「呃，不……是……」上司呑呑吐吐地回答著，院長也沉默了許久。

幾天後，醫院就下達通告讓小麗代替了上司的職位。

其實，小麗並沒有做出什麼驚天動地的事情，之所以能取代上司，就是因為她以「老闆思維」來工作，即使自己在平凡的職位上，也能兢兢業業，做好自己的每一項工作。

仔細觀察一下周圍那些剛畢業不久的年輕人，或是反省一下你自己，是不是一邊工作一邊抱怨：「為老闆工作真是太累了，我根本就是被當成老闆的賺錢工具，一點樂趣也沒有。」其實這樣的人不明白一個道理：「與其以為你是在為別人而工作，不如把公司當成你的家！」

擁有老闆思維＝擁有更多成功機會

布萊恩是美國考克斯有線電視公司的年輕工程師，他的工作地點在郊區。

有一天，布萊恩到一家器材行去購買木料。正當他在等待師傅切割木料的時候，無意中聽到有人抱怨考克斯公司的服務差勁極了。那個人越說越起勁，結果有八九個店員都圍

過來聽他講。

當時布萊恩其實正在休假，他還有自己的事要處理，老婆又在等他回家。他大可以置若罔聞，只管自己的事。

可是，布萊恩卻走上前去說道：「先生，很抱歉，我聽到你對這些人說的話。我在考克斯公司工作，你願不願意給我一個機會改善這種狀況？我向你保證，我們公司一定可以解決你的問題。」

圍在一起的那些人臉上的表情非常驚訝。布萊恩當時並沒有穿公司的制服，他走到公用電話旁，打了通電話回公司，公司立即派出修理人員到那位顧客家中解決問題，直到顧客滿意為止。後來，布萊恩還多做了一件事。

他回去上班後，打了通電話給那位顧客，確定他對一切都滿意後，還提供顧客延長兩個禮拜的試用期，並且為給他造成的不便致歉。

布萊恩這種站在老闆立場的行為，受到了公司負責人葛培特的高度讚揚，並號召公司全體員工向布萊恩學習。之後，布萊恩更成為該公司工程部門的主管。

看見了吧！擁有「老闆思維」的人，總是有更多成功的機會。

老闆或許不瞭解每個員工的表現，或許不熟知每個細節，但是你做出的每一點業績和取得的每一點進步都是實實在在的、具體可見的，升遷和獎勵總有一天會落在你的身上。

一句話，能改變你的一生

與其「你怨我沒成績，我恨你沒人性」，不如換個角度思考，建立老闆思維，工作起來會更快樂，也更有發展的機會。

像老闆一樣主動積極，像老闆一樣熱愛公司，像老闆一樣思考問題，留心老闆的一言一行、一舉一動，觀察他們與普通人的不同之處，學習他們處理事情的方法。如此，你就可以變得更加優秀，就可以更快地走向成功。

05「有用」的人才能夠被「利用」！

在市場經濟體制下，任何一家企業存在和發展的根本目的都是為了營利，為了追求利潤最大化。利潤是企業生存的命脈，所以追求利益最大化當然是合理的。不要把企業想像成「剝削勞工」，不要認為企業家只會「扒皮」，你被「利用」，才證明你「有用」，才證明你有「價值」！

能被利用，才能成為公司裡的「搶手貨」

如果你才畢業幾年，那麼，你可以仔細觀察，平時和你交往的那些同齡朋友，如果有空在一起聊天，是不是經常說起這樣類似的話：「在公司裡，我被剝削、被壓迫，主管不管什麼工作都丟給我，好像恨不得把我給榨乾！」言下之意就是，他們被「利用」了！

作為員工，你應該明白的是，是公司成就了你，而不是你成就了公司。聰明人會在公司事業的發展過程中實現自己的人生目標，他的價值會隨著公司的發展而不斷增值。公司不僅為你提供了生存的保障，還提供了發展的舞臺，你應該站在公司的角度去工作，積極提出合理化的建議，實現與公司的共同發展。

因此，別怕你被「利用」，你該怕的是「沒有用」。願意奉獻與付出的年輕人，一定能受到企業的歡迎，成為企業裡的「大忙人」與「搶手貨」；而那些無能或無德的員工，則一定會受到企業的冷落，成為企業裡的「大閒人」。

踏入職場不久的你，一定要為公司創造財富，而且要把為公司創造財富當作神聖的天職、光榮的使命。這樣，你的被「利用」才能體現出的你「有用」。

「被剝削」是一種幸福

二〇〇八年，我有一個合作夥伴，因為公司新成立，所以招募了一位年輕的小姐專門負責做媒體推廣和公關等業務，於是這位小姐就跟我聯繫得比較頻繁。

後來，我們彼此之間就逐漸熟絡了。一開始，她還是很客氣地向我請教一些業務上的知識，時間久了，她也知道我這個人比較隨和又剛好在幫人做職業規劃，於是就時常跟我說起她現在的工作有多麼累，說當時在某公司過得挺好的，但是想到大公司闖一闖，就答應這間公司的老闆過來了。可是，這裡剛剛成立，很多事情都特別複雜，制度也沒有很健全，她既要當老闆的「保姆」，又要當公司的「總管」，一週上班七天，一天工作十幾個小時。雖然包吃包住，但薪水其實不高，她覺得自己被完完全全地「利用」、「剝削」了。因此，她心中有點不甘心，又很苦悶，所以想聽聽我的意見。

我就跟她講了我當年剛開始上班時和她一樣的「遭遇」。

當時我每天早上五點多起床，先是騎著自行車到公車站牌，再轉了兩班車才到得了公司。那家公司當時成立才兩年，一個人往往要當好幾個人用，只要我能做的，只要是我努

力一下就能做的，只要是我花點時間就能做的，老闆總會毫不客氣地「扔」過來。當然，老闆是不管交通的，甚至午飯也沒有補助。每天下班回到家裡都已經八九點了，真的可以說是「夙夜匪懈」。而我第一個月的薪水卻非常少。不過，我沒有抱怨，也不覺得自己吃虧，而是繼續堅持著。於是，第二個月薪水漲了一些，第三個月又漲了一些，我至今仍然感激那家公司給我的鍛煉，是他們給了我成長的平臺；我感激進入職場的第一次被「利用」，因為我體驗到了自己的「價值」；也感激這人生中的第一份工作，因為它是我職業旅程的開始。

那位小姐一直安靜地聽我講述著自己的故事，在不知不覺中領悟了很多。後來，她跟說我，她心態逐漸轉變了，覺得自己的確沒必要那麼擔心，更應該為自己被「利用」而感到驕傲，為自己被「剝削」而感到幸福。

每一件雜事，都能將你推向成功

著名的電視製作人陳光陸，第一次到電視臺工作時，臺裡只是試著讓他擔任一個很小的節目助理。在當時那個環境裡，助理的職務就等於是「總管」，所有的雜務必須一手包辦，還幾乎是沒日沒夜地工作，而薪水卻很低。

不久，陳光陸對自己做的這些雜事失去了興趣，覺得前途暗淡無光，曾經動過跳槽的念頭。但他的朋友告訴他，外面的工作也不好找，還不如先在這一行認真地做下去，邊做邊等，或許能等到機會。

朋友的一番話引起他的深思，他從中得到啟發，明白了眼前所做的每一件雜事都是在為未來的發展而累積、都是在為獲得成功的機會鋪墊腳石。於是，他在節目助理的職位上繼續堅持，慢慢地就對電視製作產生了興趣，並決心將來也要走製片的道路。就這樣，儘管只是一個小小的助理，但他已經在心裡埋下了以影視為業的使命感。

跟著製片人苦學了兩年，機會終於讓陳光陸等到了，他策劃著名歌星鄧麗君的專題節目《君在前哨》，在當時獲得了極大的轟動而被提名角逐金鐘獎，從而讓電視臺長官另眼相看，不久即委以重任。

適應環境的能力決定著你的生存機會，適者生存，不適者淘汰。我們的目標是卓越，從改善擇業的動機開始，從轉變對工作的態度做起，從鍛煉自己的能力用心，從提升自己的價值著手，讓上司信賴你，讓企業有榮譽、有尊嚴，你才會有價值！

今天的低潮是為了明天的高就

美國作家傑克．凱魯亞克說過一句話：「我還年輕，我渴望上路。」在人生的旅途中，我們永遠都是年輕人，每天都應該滿懷渴望，迎接陽光的沐浴。每個人的潛能都是無限的，關鍵是要正確地發現自己的潛能，和正確地認識自己的才能，並找到一個能充分發揮潛能的舞臺，而不能只為舞臺的不合適而感到不快。所以，要客觀公正地看待自己的能

力，結合自己的實際情況和愛好，冷靜選擇需要自己、適合自己的地方。

公司提拔和裁減人員時，首先就會從目標認同感以及個人綜合技能方面多重考核，留用並提拔「千里馬」。

我想，剛剛畢業的你，一樣也是胸懷大志，一樣想成為一匹被人賞識、馳騁沙場的「千里馬」吧？那麼，就好好沉澱下來。低就一層不等於低人一等，今日的低就是為了明天的高就。利己是生命的基調，利他是生命的價值。所謂生命的價值，就是我們的存在對別人有價值。能被人「利用」是一件好事，無人問津只能淪為落寞的英雄！

一句話，能改變你的一生

一味孤芳自賞的人經常是孤掌難鳴；懂得放下身段的人往往能抬高身價。價值決定價格，一個人的「身價標籤」是通過其「利用價值」來體現的。

別怕自己被利用，也別說自己沒有用。企業有利潤，你才有利益；世界上到處都是有才華的窮人，就是缺少真正為企業創造財富的員工。你的薪水從哪裡來？不是企業「發」給你的，而是你自己透過努力與勤奮「賺」來的。

06 想法如果不能落實，等於廢物

你的想法再有創意，決策再英明，但若無法落實，等於瞎忙一場。做事情一定要徹底執行、落實到底，懸而不決、行而無果是最浪費生命的。工作的過程不是最重要的，結果才是，不要為自己的錯誤或失敗找藉口、找理由，要處處為成功找方法，只要抱著這種心態去工作，即使再平凡的工作，也一定能做出不平凡的成績。

成功者只說：「好，我馬上去做」

人是容易妥協的動物。一遇到問題時，不少人都會採取迴避甚至是逃避。年輕人在做事情時，有時難免遇到一些客觀的阻礙或者自己內心的懶惰，其實方案已經有了，可是事情就是懸在那，沒有得到執行或落實；即使執行了，也可能沒有結果，無疾而終，中途夭折。

從管理角度來說，這樣的人是缺乏「結果導向」的思維，他們不知道結果的重要性，不知道執行的重要性，而是以過程為理由，以問題為託詞，以困難為藉口。

反觀成功者，當他們接到任務時，從來不找藉口，只說「好，我馬上去做」或「放心，我一定盡全力去做」；在工作過程中遇到困難時，他們一定不會讓事情懸宕而未解決、解決而未落實，也不會半途而廢，而是堅持地追求結果，把事情做完、做好。

危機處理能力，決定你是否值得重用

職場中，經常能遇到這樣的情境：

行銷部經理說：「最近銷售不好，我們有一定的責任。但主要原因是，對手推出的新產品比我們的好。」

研發經理「認真」總結道：「最近推出的新產品少是由於研發預算少。就這麼一點預算還被財務部門給削減了。」

財務經理馬上接著解釋：「公司成本在上升，我們沒錢。」

這時，採購經理跳起來說：「採購成本上升了百分之十，是由於一個生產鉻的礦山出事了，導致不銹鋼價格急速攀升。」

於是，大家異口同聲地說：「原來如此。」言外之意便是──大家都沒有責任。最後，人力資源經理終於發言：「這樣說來，我只好去考核礦山了？」

像上面這些公司員工如此推卸責任，為錯誤尋找藉口，是平庸與懦弱的表現，也是對自己的工作敷衍塞責的態度。不管有什麼外部因素，公司營運得不順利，每個部門就應該從自身檢討起。

人們常說，不以成敗論英雄，似乎不管結果如何，總有理由為失敗者開脫，為其推卸責任。但仔細想想看，失敗總有原因，為什麼失敗的是這個人而不是勝利者？既然失敗了，就是做得不好，就應該從中吸取教訓，尋找藉口來掩飾是毫無意義的。以結果來評判執行力，是對一個人執行力的最佳評價。再美妙的藉口對事情結果的改變無任何用處，與其把諸多時間枉費在尋找藉口上，不如主動反思、檢討自己的不足以及定出改進這些不足的建設性方法。

一句話，能改變你的一生

落實的關鍵在於行動，行動的意義在於結果。沒有任何藉口，上司只要結果。

成功人士並不是在行動前就解決了所有的問題，而是遭遇困難時能夠想辦法克服，因為我們無論如何也買不到萬無一失的保險。當你遇到問題時，不要總是瞻前顧後，要下定決心去解決它，要毫不猶豫地去落實，只有這樣，才有成功的可能。

07 此時和你競爭的，是整個世界

一個國家如果想要發展得好就需要開放的政策，才能夠廣納各方的意見，尋找出對國家最有益的道路，也才有機會向世界各國學習長處。同樣的，個人也需要具備開放的思維，擁有一顆包容的心，把目光放長遠，不活在自己狹小的世界裡，才能夠具備與全球人才競爭的能力。

成為一個「世界人」

美國《紐約時報》的專欄作家湯馬斯．佛里曼在其二〇〇五年的著作《世界是平的》一書中，把全球化劃分為三個主要紀元—全球化一．〇始自西元一四九二年，持續到西元一八〇〇年前後，世界從「大號」縮小到「中號」，其推動力量來自國家；全球化二．〇大概從西元一八〇〇年持續至西元二〇〇〇年，中間曾經被經濟大蕭條及兩次世界大戰打斷，世界繼續從「中號」縮小為「小號」，其推動力來自企業；西元二〇〇〇年後開始了全球化三．〇的新紀元，世界正從「小號」縮為「極小號」，其推動力來自掌握了網際網路技術的個人。

的確，「世界正被快速地攤平」。我們父母小時候，在學校時總是被教導：「胸懷祖國，面向世界。」而如今到了這個全球化的時代，胸懷祖國早已經不夠了，還要胸懷世界。年輕的你必須擁有開放的思維，才能成為一個「世界人」。

開放思維，就是開放視野、開放舞臺、開放資訊、開放機會、開放成功！開放是人生的大熔爐，開放你的人生，世界一定從此不同！

懂得「求同存異」，路才會越走越寬

堤康次郎是日本商界的一代梟雄，經過苦心經營，建立起了龐大的西武企業集團。在臨終之際，堤康次郎把接班人的重擔交給了二兒子堤義明，結果引起了長子堤清二的強烈不滿。

堤清二決定要給弟弟一個顏色瞧瞧，就向銀行大舉借貸，試圖把自己繼承的一份小小產業——西武百貨公司擴張成為一個遍佈全國的商業機構。

堤義明牢記父親的臨終教誨，一步一腳印地發展西武集團，但哥哥咄咄逼人的攻勢卻讓他感到非常不安，因為急速的擴張，往往潛藏著極大的市場風險；更為可怕的是，如果任其發展下去，必將拖累整個家族企業，從而使得父親創下的龐大基業面臨毀滅的危險。

經過一番考慮之後，堤義明做出一個決定：把西武百貨公司、西武化學公司合併成為西武流通集團，交給哥哥堤清二經營，再把剩下的企業合併成為西武鐵道集團，劃歸自己管理。如此一來，龐大的西武企業集團也就化整為零了，即使堤清二的西武流通集團出現難以預料的危險，也不至於危及整個家族企業，從而有效地保存實力。另外，把哥哥的企業分離出去，還可以避免堤清二在集團內部對自己進行掣肘，使自己的管理和運作受到不

必要的干預。

事實證明，堤義明的決斷是英明的，僅僅過了一年，國際經濟就陷入了極其嚴重的蕭條之中，堤清二使出了渾身解數，但還是抵擋不了西武流通集團的破敗。

這個時候，堤義明及時出手相助，從自己的西武鐵道集團中撥出一筆數目驚人的鉅款，把堤清二從困境之中解救了出來。兄弟二人和好之後，西武企業集團在堤義明的決策下，得到了長足的發展，而且還一度躍進了世界知名企業排行榜的前列。

年輕人一定要有「求同存異」的包容胸懷，包容別人的過失、包容別人的缺陷、包容別人的冒犯，如此方能有效地化解掉不斷湧現出來的矛盾和過節，從而博得更多人的尊敬和厚愛，為自己進一步開創事業奠定堅實的人際關係基礎。

「求同存異，路會越走越寬。」知道這個道理的人，早晚能成就一番大器。

一句話，能改變你的一生

所謂仁者見仁、智者見智，要承認差異、允許對立，傾聽不同聲音，發表不同觀點。

所謂「開明」，開放了才會有光明。開放人生，如流動的清泉；封閉人生，如死水一潭。與其說開放是宏觀的國家意圖、社會行動，不如說開放是指向每一個人的生活方式、人生願景，開放人生是個人發展的成功之道。在開放的時代想獲取個人的成功，個人的「基本國策」也必須寫上「開放」。

08 「活在當下」，快樂就與你同在

請相信自己的生命正以最好的方式展開。也許你正在為過去而懊惱，因將來而迷惘，感覺不到快樂。其實，沒有必要牽掛過去，更不必擔心未來，「活在當下」，快樂就和你同在。

千萬不要拿生命來換事業

我雖然常常強調年輕人「累不死」，但是並不提倡「以生命換事業」。在適當的時候，一樣要懂得享受人生。

在長輩的想法裡，年輕人的「享受」總是與墮落、消極等詞聯繫在一起，以至於我們只知道拼命是一種勤勞的特質，卻忘記了享受生活才是生命的目的。

也許有人會說，畢業幾年了，想要養活自己都有些困難了，哪裡還能享受？享受在他們的心中彷彿只是富豪的專利，和自己無關。

有的人，從搖籃到墳墓始終沒有享受過身邊的幸福，是因為他們有一種錯覺，認為物質享受才是幸福。其實，享受是一種態度，與金錢多少無關，與年齡大小無關，與職位高低無關；享受是一種心境，關鍵在於你懂不懂得從平凡的事情當中，找到快樂。

活在當下，不去想過去已經發生的傷心事，更不要過於擔心未來，便是找到快樂的第一步。

活在當下所需要的是高度的「專注」，越是專注的人越是快樂。仔細觀察身邊的孩童就知道了，孩童通常可以專注於一個他們感興趣的事物，沒有其他任何煩惱可以進入他們專注的那個當下，所以很快樂。

我們應該很少甚至是沒有看過哪個小小孩為了明天在煩惱吧？而且，對於發生過的傷心事，他們也很快就能忘懷，前一秒還在哭，下一秒便已經笑開懷了！他們最大的本事，就是「活在當下」。

懂得適時地停下腳步，看看身邊的美景，則是找到快樂的第二步。暫停一下，可以給平時奔波勞碌的你片刻的寧靜，可以讓正在為理想打拚奮鬥的你，體會到悠閒的詩意，感受到生活的美好。

訂定「今天我要~」的計畫清單

日子分成三天：「昨天、今天、明天」。昨天早已過去，明天尚未來臨。我們沒有必要耗費今天的時間和精力去為昨天的結果表達無謂的感情，更沒有必要讓今天在對明天的幻想中白白流走。

不妨遵循下列建議，幫自己列出一份「今天我要」的計畫清單。我認為它非常能振奮人心，也經常複製給周圍的人看。只要你能照著去做，相信你也能相對地增加生活的樂趣。

◆今天我要很開心。

◆今天我要調適自己，而非調整世界來配合我。我要讓自己配合我的家庭、事業與機運。

◆今天我要照顧我的身體。我要關心它、不濫用它、不忽略它、使它成為我心靈的殿堂。

◆今天我要強化我的心靈。我不能讓心靈閒置，我將閱讀需要專注、思考與實踐的讀物。

◆今天我要默默地為某人做一件好事。

◆今天我要使自己看來愉悅。我要穿著合宜、舉止恰當，不挑任何事的毛病。

◆今天我不去想整個人生。一天工作十二小時固然好，但一輩子都如此會整垮我自己。

◆今天我要制訂計畫。我要計畫每小時要做哪些事情，為的是避免倉促及猶豫不決。

◆今天我要給自己保留半小時的輕鬆時間。我要用這半小時為自己祈禱，想想我人生的願景。

◆今天我將無所畏懼。我不怕享受更美好的人生，也不怕去愛人，相信我愛的人也愛我。

一句話，能改變你的一生

不要在逝去的輝煌裡強化現在的失落，不要在未來的迷茫裡加深現在的困惑。

每個人的生活中都有許多扇門，它們通往不同的生活。如果用悲傷作鑰匙，通往的一定是灰暗與不幸；如果用快樂作鑰匙，通往的一定是幸福。

09 懂得平衡，在工作與生活中都要當贏家

懂得閒適的人，才是生命的擁有者。工作雖然是畢業後這幾年的人生主題，但不管它多麼重要，畢竟只是生命的一部分，你還有愛情、親情、友情、健康、快樂、幸福，需要去悉心經營。工作越是忙碌，越應該學會「偷懶」，讓自己吃好、喝好、睡好，以保證旺盛的精力和足夠的體能，從容地應對擺在面前的大小事務。

把生活當事業來經營

現在的年輕人，晚睡早起似乎已經是個普遍的現象。早上六七點鐘出門，衝進公司就開始工作；下班約幾個朋友聚會，或者加班，有時要十一、二點才能回到家。每個人似乎都像陀螺一樣旋轉，應酬完別人之後開始打理自己的事，一轉眼時間已經到了淩晨。晚睡早起使得我們就好像兩頭燒的蠟燭，只會讓生命燃得更快。

其實，工作固然是畢業後這段時間的人生主題，可以讓我們累積財富，但工作畢竟只是生活的一部分，你有沒有想過，你是不是「職場贏家、生活輸家」？還是想辦法兩者皆贏？

不要忘了，生活也是大事業。

要像經營自己的事業一樣去經營自己的生活，經營自己的愛情，經營自己的健康。愛工作更愛生活，愛生活更愛身體。

休息能讓自己走得更長遠

只要以良好的心態、正確的人生觀創造生活、改善生活，每個人都能享受生活。

試試每逢週末假期時，就到超市大肆採購一番，將自家的冰箱塞得滿滿的。這樣只要一想到家中「糧食不缺」，你便會有富足快樂的心情，來迎接每個星期的辛勤工作了。

可以日行一善。不論是扶老婆婆過馬路，還是在公司裡幫同事們一點點小忙，或者在辦公室講一個笑話，製造一下歡樂氣氛，都能讓你獲得快樂。

定期清理一部分舊東西，或在週末給自己住的地方來一個大掃除，這樣不但讓家裡窗明几淨，空氣流通，也有除舊迎新、改善心情的功效。

辛苦工作了一天後，聽聽自己喜歡的音樂，好好地獎賞自己一番，陶醉在優美的音樂旋律中，就算是只有短短的十分鐘，也能幫你鬆弛疲勞，帶給你不可思議的美妙感受。

依照你喜歡的方式，精心為自己計畫好一星期的生活，比如打球、逛街、約會、學習等。這樣你就可以在旁人無法覺察的情況下，積極快樂地享受每一天。

為自己買棵小盆栽或養隻小寵物，讓牠們在你的悉心照顧下，一天一天地長大，相信你也一定會從中體會到「付出與收穫」的快樂。

即使沒有假可以放，也要給自己休假

常有年輕人在抽不出空休息的時候這麼説：「人在江湖，身不由己」。好像永遠沒有

休假的時候。

很多年輕人覺得，自己並非企業裡最出色的，「我又不是長官，也不是最優秀的員工。」所以大家都還在工作時，自己去休假，心裡總覺得不踏實。擔心同事表現好過自己，擔心自己落後於別人，擔心上級有意見，擔心錯過一些機會。

他們不願意一個人游離在集體之外的假期，因此，多數人更喜歡「你休我休大家休」的集體放假。類似中秋節、農曆春節這樣的國定假日，大家才休得心安理得。

其實，放鬆自己、給自己休假，並不一定要等到國定假日，無論任何時候、任何地點，永保無壓力狀態，使自己徹底地放鬆，在心裡給自己放假也是一種方式。

繁忙的都市生活，無窮的工作壓力，讓我們忙得團團轉。在紛擾複雜的生活夾縫中，我們要大聲說：「給自己放假！」

一句話，能改變你的一生

只有懂得休息的人，才能繼續累積力量投入新的戰鬥。

一個人下班後的生活決定了他的社會競爭力。工作以外的娛樂時間決定了發展的空間。娛樂休閒能讓一個人的思想和世界觀發生變化，從而使他的身心愈發地富有朝氣、充滿活力。當你把工作和玩樂適度地結合起來時，距離成功也就只有一步之遙了。

黃金課程第8堂

逆境生存法則

衝勁十足的噴射機，
也是靠著逆風而行才能順利起飛

常常聽見身邊朋友抱怨這兩年景氣不佳、工作難尋、市場低迷……。殊不知越是艱難的逆境，越是培養自己能力的好機會。腳踏實地地恪守本分，以謙卑的態度面對一切的挑戰。「吃苦當作吃補」，計畫性地讓自己吸收蘊含其中的成長養分。身臨逆境，生存目標不只是「撐下去」，更是為了下一步跳得更高做準備。

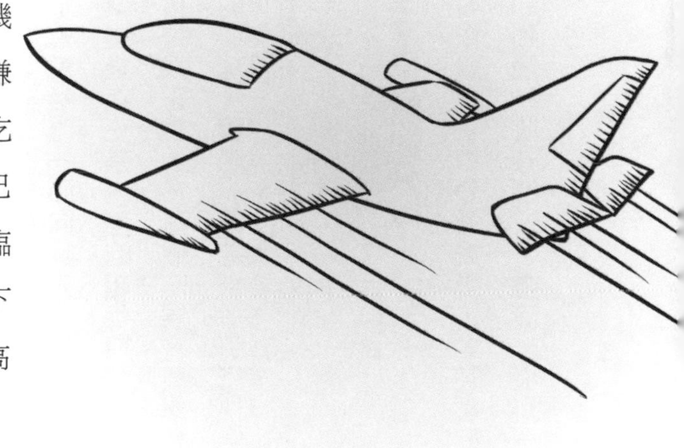

01 你絕對不是世上最不幸的人

畢業這幾年，在工作上遭遇一些挫折時，你應該這麼想：「至少我不是這個世界上最不幸的人！」有多少人在嚴峻的就業形勢下找不到工作呢？有多少人在裁員風波中被無情淘汰呢？有多少人無法擁有一份安穩的收入來維持基本的溫飽呢？想想上天對你的「恩寵」吧！那麼你心中的陰霾就會被驅散，你的人生也會充滿朝氣和活力！

面對陽光，把陰影留在身後

美國成功學大師拿破崙．希爾在採訪美國幾位知名成功人士時，發現成功的一個重要因素就是「正向、積極的思考」，能夠正向思考的人通常認為這個世界十分可愛，而且，對他們來說人生中有許多值得追求的事物。此外，正向思維也使得他們即使身處於逆境之中，也能從困難中看到光明的方向。

林語堂曾說過：「面向陽光，陰影總在你身後。」畢業這幾年正是人生的起步期，遭遇一些挫敗與失落是很正常的。這個時候，要學會打開自己憂鬱的心房，讓陽光灑進來，那麼快樂就會永遠圍繞著你！

既然發生了，就坦然接受吧！

我小時候貪玩，總是愛搗蛋，尤其喜歡拆東西。家裡的鬧鐘、收音機、手電筒，沒有一件是完整的。母親因此常常責備我，好幾次我拆壞了家裡的東西又不能重新裝好時，母親還會生氣地拿著棍子想打我的屁股。

每當這個時候，鄰居阿猛叔叔聽到我的哭聲就會過來，搶過母親手中的棍子，說：「嫂子，幹嘛啊？孩子好動是正常的。這孩子喜歡拆東西，是聰明的表現呢！說不定長大以後他是個發明家喔！東西壞了修一下不就得了嘛！事情發生了就坦然接受吧！哈哈！」

每次，母親聽了阿猛叔叔的話總會妥協地放下棍子。阿猛叔叔的這種豁達深深影響著我，而這種豁達與坦然不僅表現在他對我的態度上，也表現在他自己的身上。

阿猛叔叔二十多歲時在一家冷凍廠上班，有一次用粉碎機碎冰塊時，他的左手來不及抽出來，結果失去了手腕以下的部分。這對正常人來說，是多麼大的打擊啊！

可是阿猛叔叔並沒有因此而萎靡不振。有人問他少了一隻手會不會覺得難過？他總是回答：「不會，我根本就不會想到它。只有在需要的時候，才會想起我的左手。難過有什麼用呢？事情既然發生了，就坦然接受吧！少了左手，反而可以不必做些搬重物的粗活呢！」然後便是一陣哈哈大笑。

阿猛叔叔經常說的這句「事情既然發生了，就坦然接受吧！」就是一種正向思考。

從學校出來一下子進入競爭激烈的社會，總會碰到許許多多讓人心煩、不愉快的，甚至是倒楣透頂的事情。但是，既然事情已經發生了，再怎麼心煩和不開心都無法挽回，那何不放開心去坦然接受呢？

一句話，能改變你的一生

一樣是往窗外看去，有人看到的是一片荒野，有人看到的是萬點星光。

面對同樣的際遇，如果抱持一種悲觀、失望的灰色心態，看到的自然是滿目蒼涼、了無生氣；如果抱持一種積極、樂觀的陽光心態，看到的自然是星光點點、一片光明。

02 高峰與低谷，都是邁向成功的道路

天氣有陰有晴，人生有高峰與低谷。只要拂去陰霾，就能現出朗朗晴空；等到烏雲散去，必定是豔陽高照。低潮時，要相信自己不會一直處於人生的低潮期，總有一天能衝破重重的雲層。告訴自己：「我並沒有失敗，只是暫時沒有成功！」只要為自己的內心點亮一盞希望的燈，一定能驅散黑暗中的陰霾，迎來光明。

痛苦，不是問題本身帶來的

許多時候，人的痛苦是由自己的想法所帶來的。說到這裡，我不禁想起一個關於雨天和晴天的故事。

有位老婆婆有兩個女兒，小女兒嫁給了一個賣傘的生意人，大女兒在染坊工作。這位母親天天發愁、哀嘆，為什麼呢？天晴了，她擔心小女兒的傘賣不出去；天陰了，她又擔心大女兒染坊裡的衣服晾不乾。就這樣，她晴天也愁陰天也愁，沒過多久就白了頭。

一天，一位遠方親戚來看她，驚訝於她的衰老，問其緣由後，啞然失笑。那親戚說：「陰天妳小女兒的傘好賣，該高興才是；晴天妳大女兒染坊的生意好，也該高興才是。這樣妳每天都有快樂的事，天天是好日子，妳幹嘛不撿高興專拾憂愁呢？」聽了這番話，老婆婆茅塞頓開：「言之有理！」

從此，她笑口常開，幸福地過著每一天。

這個故事讓我想起一位哲人說過的話：「我們的痛苦不是問題的本身帶來的，而是由我們對這些問題的看法所產生的。」

想找到滿意的工作，就要先在腳下墊「磚頭」

曾經有一個年輕人，在大學讀書時成績優異，能力也挺不錯。但沒想到，畢業之後，躊躇滿志的他卻只能找到一間小公司普通員工的職務。

在那間小公司裡，他每天朝九晚五地上班、下班，常常想念那些在外商和各大企業裡上班的同學，憧憬著有一天自己也能夠加入他們的行列，於是，他整天琢磨如何找到好機會，開始忙碌起調換工作的事，也就漸漸地對自己的工作提不起興趣了。

時光匆匆，轉眼兩年過去了。他不但對自己的工作不屑一顧，就連調動工作的事也沒有絲毫起色。他開始覺得迷惘了，不知道自己的計畫到底出了什麼問題。

有一天，公司舉辦運動會。每年一次的運動會對於這個小工廠來說實在是個不小的盛事，所以大家像趕廟會一樣湧向操場。

一時間，小小的操場四周擠滿了人，形成一道密不透風的環形人牆。

他去晚了，被厚實的人牆阻隔在外面，就環顧四周想找個縫隙鑽進去，卻看見一個矮小的男孩正一趟一趟地忙著搬磚頭，不斷地從遠處搬來磚頭，一塊又一塊地疊著自己的磚台，在疊到半米高的時候，縱身往上一跳，就這樣看到了比賽！

一剎那，他的心受到了強大的震撼。原來，想要越過密密的人牆看到精彩的比賽，想要越過重重的阻擋找到滿意的工作，就要在腳下多墊些磚頭，「多麼簡單的事啊！」

由此，他換了一個全新的角度來審視自己，發現自己其實有著不少的優勢，比如說很有組織能力，工作與專業也相當，於是他不再東奔西走地尋找調換工作的機會了，而是滿懷衝勁地投入到當時的職務中。在一步一腳印的努力之中，工作很快就有了亮眼的成績。

的確，一個有理想的年輕人只要不辭辛苦，默默地在自己腳下多墊些「磚頭」，不斷地學習，不斷地努力，一步一腳印，用執著驅趕陰霾，就一定能迎來燦爛的陽光。

一句話，能改變你的一生

烏雲遮不住太陽的微笑，黑暗擋不住黎明的來到。

人生可能會「陷入絕境」，但也可以「絕處逢生」，然後再「漸入佳境」。

世界上那些成功人士儘管也面臨過絕境，但他們從來沒有讓自己在絕境之中喪失鬥志和信心，而是尋找走出絕境的途徑，試著改變周圍的環境，用理智挽救迷茫，用衝勁戰勝彷徨，用樂觀戰勝憂傷，改變自己的命運。

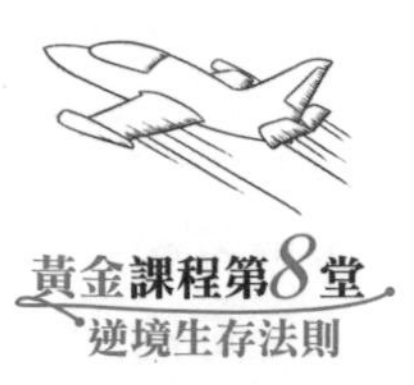

03 吃虧：一種福禍相依的生活辯證法

在工作中，你可能做得比別人多，覺得吃虧；你可能錢拿得比別人少，覺得吃虧；你可能經常加班，你可能獨自值勤，你可能無償奉獻……總之，你覺得吃虧。其實，沒有必要為此擔心，「吃虧」不是阿Q精神，而是一種福禍相依的生活辯證法和深刻的人生哲學。現在吃點「小虧」，為成功鋪就道路，也許在未來的某個時刻，你的「大福」突然就來了。

表面上讓你「吃虧」，可能是企業考驗你的「試金石」

有這樣一個腦筋急轉彎：你最不想吃的但卻經常能吃到的是什麼？答案是「吃虧」。幾乎在所有人的意識裡，虧是吃不得的。

其實，並非所有的便宜都值得慶幸，並非所有的幸運都值得高興，同樣，並非所有的「虧」都令人難以忍受。一個不能吃虧的人，會在斤斤計較中喪失了更多的資源，得小利而失大利。不懂得吃虧，就不能完美地領悟人生；不懂吃虧，就不會有事業上的壯麗輝煌。相反，能吃得了虧的人往往打開了珍藏在心中的寶藏。

能吃虧是做人的一種境界，會吃虧是處世的一種睿智。真正有智慧的人，不在乎「裝傻充愚」的表面性吃虧，而是看重實質性的「福利」！

有一則故事是這樣的：

小劉和小王是大學同班同學，畢業後他們一

起在一家皮件生產公司找到了工作。上班第一天，經理把他們帶到生產線旁，讓他們跟著領班熟悉工作流程，並說：「依照公司規定，你們有一個月的試用期，之後是否繼續聘用你們，就看這個月你們自己的表現了。」

開始的時候，兩個人做起事來都很積極，雖然每天重複著簡單的勞動難免讓人厭煩，而且上夜班也非常辛苦，不僅要聚精會神地工作，還要跟瞌睡蟲搏鬥，但他們還是非常努力地去做了。

一個月的試用期很快結束了，他們對自己信心百倍。試用期的最後一天恰好是夜班，經理在晚飯後叫住了他們：「很抱歉，經過公司人力資源部的評估，你們兩人都沒有通過公司的試用，上完這個夜班，你們就可以走了。」說完，他把這個月的工資交給他們，然後轉身離開了。

沒想到會是這樣，兩人都呆呆地站在那裡。不知道過了多久，小劉說：「該去上夜班了，我們走吧。」

小王說：「你傻了嗎？我們已經被解雇了！」

小劉說：「是的，可是，如果我們都不去上夜班了，那廠的生產線怎麼辦？」小王說：「你想吃虧你去吧，反正我不去了。」說完，就走了。

小劉決定繼續去上夜班，他認為這怎麼能算吃虧呢，公司給了自己一個月的薪水，自己雖然被解雇了，但那是明天的事，只要在職一天，就應該負責到底。於是，他就像什麼都沒有發生一樣換上工作服去上夜班了，沒有因為已經被解雇而有絲毫的馬虎和懈怠。

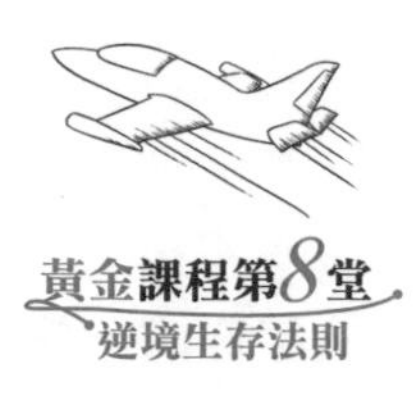

第二天一早，當小劉收拾好東西準備離開的時候，卻見經理滿面笑容地迎了上來，說：「恭喜你，你的試用期正式結束，請你明天到辦公樓去接受新職位的安排。」

小劉大惑不解。見狀，經理說：「你們兩個人都很優秀，但我們只能留下一位，和你的同伴相比，你看待工作的態度更讓我們敬佩！」

山窮水盡疑無路，柳暗花明又一村。其實，有時候，表面上讓你吃點虧，可能正是企業在考驗你呢！如果你能通過這個考驗，迎來的可能是職業生涯的一路鳥語花香！

樂於加班的人擁有更多加薪的機會

現代企業，加班是再正常不過的事了。這個時候，有些年輕人就會抱怨了：「下班了，我就應該可以自由地做我想做的事，為什麼還要侵犯我的自由權利？」「加班要給加班費，不給報酬，憑什麼要我為你多做事？」……

加班，從法律意義上來講，的確不是你的義務，但是卻是職場成功的潛規則。

卡洛．道尼斯是世界知名的投資顧問專家，他最初為美國通用汽車創辦人杜蘭特先生工作時，職務很低，現在已成為杜蘭特先生的左右手，並擔任他旗下一家公司的總裁。卡洛•道尼斯之所以能如此快速升遷，祕密就在於「每天多做一點」。

「在為杜蘭特先生工作之初，我就注意到，每天下班後，所有的人都回家了，杜蘭特先生仍然會留在辦公室裡繼續工作到很晚。因此，我決定下班後也留在辦公室裡。是的，的確沒有人要求我這樣做，但我認為自己應該留下來，在需要時為杜蘭特先生提供一些幫助。」

「杜蘭特先生在工作時經常找檔案、列印資料，最初這些工作都是他自己親自來做。很快，他就發現我隨時在等待他的召喚，並且逐漸養成把一些工作吩咐給我的習慣……」

因為道尼斯自動留在辦公室，使杜蘭特先生隨時可以看到他，並且誠心誠意為他服務。這樣做獲得了報酬嗎？沒有。但是他獲得了更多的機會，贏得老闆的關注，最終獲得了升遷的機會。

在工作中並不是多做一件事或多幫別人做一點事就是吃虧。如果老闆讓你加加班、趕趕進度，你別以為自己吃了大虧，反而應該感到慶幸，因為老闆只叫了你，而沒叫其他人，說明他信任你、賞識你。「吃虧」是一種貢獻精神，你貢獻得越多，得到的回報也就越多。樂於加班，就是樂於「吃虧」的一種表現。

一句話，能改變你的一生

捨得捨得，有捨才有得；那些學會在適當的時候吃些虧的人，絕對不是弱智，而是大智。

給別人留餘地就是給自己留餘地，予人方便就是予己方便，善待別人就是善待自己。傻人有傻福，因為傻人沒有心計。和這樣的人在一起，身心放鬆，沒有太多的警惕，就能相互靠近。「傻」很多時候意味著執著和忠貞，也意味著寬厚和誠實，讓人喜歡，不知不覺站到他的那一邊。傻人無意中得到的，比聰明人費盡心機得到的還多。

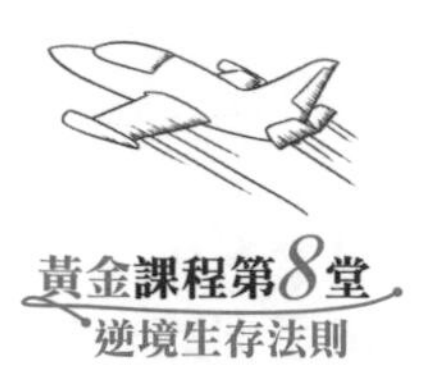

04 學會自制：抵禦各種誘惑的一把保險鎖

年輕人，從單純的校園進入繁複的社會，各種誘惑會洶湧而來。面對花花綠綠的世界，心中一定要有一把好的鎖，不要讓那些不好的誘惑乘虛而入。學會自制就是幫助你抵禦住各種誘惑的一把保險鎖。做人坦坦蕩蕩，實實在在；做事認認真真，本本分分。能在誘惑面前不動聲色的人，才是難得的高人。

自制是抵禦魔鬼最好的武器

現今的社會是一個科技發達、物資豐富、競爭激烈的社會，我們心中的欲望，常被挑逗得像是看見紅色斗篷的鬥牛；他人暴富的經歷，更讓我們血脈賁張，躍躍欲試；時尚名牌漫天飛；美女香車招搖過市，心早已蠢蠢欲動；更不能忍受的是別墅洋房的誘惑……於是，我們心中就充滿了矛盾、憂愁、不安，心靈也承受了很大的壓力。

在這樣的情況下，不少年輕人在畢業後容易對沒接觸過的事物產生強烈的好奇心。結果很多時候，就發生了「好奇心害死貓」的悲劇，輕易向誘惑投降，當了誘惑的俘虜。在畢業後，進入社會，面對著各種誘惑，一旦染上，都是生命不能承受之重。

俄羅斯文學巨擘高爾基曾說：「哪怕是對自己小小的克制，也會使自己變得更加堅強。」年輕人如果懂得生命的價值和生活的意義，就要和自制相擁，因為自制不但能約束你的心靈，而且能檢視你的思想。面對眾多誘惑時，要學會自制，千萬不要因為「就一次，無所謂」的想法而動搖。

不要讓過多的附屬品隔斷我們原本的視線

一天晚上，我讀書到深夜，突然覺得饑餓難忍，便去廚房找東西吃。找了一圈，什麼也沒找到。我不甘心，覺得總該有點東西能吃的，於是開始了第二次尋找。這時，饑餓感越來越強烈地統治了我。我想，只要能找到任何一點可以充饑的食品，我都會毫不猶豫地把它吞下去。

這次，我終於在最頂端的櫃子裡找到了一包快到保存期限的速食麵。聞一聞，似乎真的有些異味。不過我還是捨不得扔掉，因為這可能是我今夜唯一能填飽肚子的東西了。我打開火，開始煮麵。我覺得只有調味包太單調了，就又放進了一些醬油、香醋、香油和胡椒粉，廚房裡的空氣頓時變得誘人起來。我還嫌不夠，又切進了一些蔥花和薑末兒。

這下子，鍋裡黃的黃，綠的綠，白的白，色澤宜人。當初我只是想填肚子，可當這個願望滿足了之後，我的要求就開始水漲船高——這包速食麵要符合健康標準，要有可口的滋味，要有豐富的內容，甚至還要有悅目的視覺效果。於是，簡單的一包速食麵就被我弄成了這麼一碗營養豐富的「大餐」。也許是太誘人了，對著這碗麵，我竟然不知該從何吃起才好了。

在這繁忙的都市生活中，機會很多，而誘惑同樣也很多。最初我們還可以因為自己的初出茅廬而把持自己，知道自己是「餓」了、「渴」了，或是有其他的什麼需求。我們以為自己可以執著地為我們的需求而努力奮鬥。可是看著種種其他的誘惑，我們的欲望不斷升級，最終被其蒙蔽了雙眼，迷失了心靈，忘記了我們原來的方向。

每個年輕人都希望自己的生活能夠豐富多彩，然而太豐富的生活也意味著太多的干擾，阻礙著我們前進的方向。不要因為諸多附屬的因素而忘記了自己本來的意圖。雖然生活中有很多誘惑的東西，我們也會在生活中被磨掉當初的稜角，也許會變得更世俗，但只要在心中常常反覆思考自己的目的所在，就可以在內心深處保持一分純真，保留一份自我，而不會讓太多的附屬品隔斷自己的視線。

提高自制力的七個C

自制力對於年輕人增進生理和心理健康是有著重大作用的。不能進行情緒控制和行為控制的人，也不會有健康的身體和健康的心理。我們可以學習一下拿破崙．希爾關於「自制的七個C」：

一、控制自己的時間（Clock）

時間雖不斷流逝，但也可以被好好分配。讓自己每天的生活過得充實無隙，今日事今日畢。時間就是生命，把握時間，就是掌握生命。

二、控制思想（Concept）

我們可以控制自己的思想與想像性的創造。必須記住：幻想在經過刺激之後，總有一天會實現。

三、控制接觸的物件（Contacts）

我們無法選擇共同工作或一起相處的全部物件；但是我們可以選擇共度最多時間的同伴，也可以認識新朋友，找出成功的楷模，向他們學習。

四、控制溝通的方式（Communication）

我們可以控制說話的內容和方式。溝通方式最主要的就是聆聽、觀察以及吸收。在溝通時，要用資訊來使聆聽者獲得一些價值，並彼此瞭解。

五、控制承諾（Commitments）

我們選擇最有效果的思想、交往物件與溝通方式。我們有責任使它們成為一種契約式的承諾，訂下次序與期限。我們按部就班，平穩地實現自己的承諾。

六、控制目標（Causes）

有了自己的思想、交往物件以及承諾之後，就可以訂下生活中的長期目標，這個目標就是我們的理想。你和我都有極高的理想以及生活的重要計畫，這就給了我們信心與勇氣。

七、控制憂慮（Concern）

一般人最關心的莫過於如何創造一個喜悅的人生。多數人對於會威脅自己價值觀的事，都會有情感上的反應。千萬不要縱容自己，給自己找藉口。對自己嚴格一點，時間長了，自律便成為一種習慣，一種生活方式，你的人格和智慧也因此變得更完美。

面對誘惑，鍾煉一顆堅定的心

在十四世紀的比利時，有個名叫羅奈爾得三世的貴族，他是祖傳封地的正統公爵，但後來被他的弟弟囚禁起來。因為他弟弟想要擺脫他，但又不想親手殺死哥哥，於是，便想出了這麼一個令人匪夷所思的辦法。在將哥哥打入牢房後，弟弟下令把原來的牢門改裝得比以前窄一些。羅奈爾得三世身高體胖，根本出不了牢門。

於是，弟弟承諾只要哥哥能夠成功減肥，並自己走出那間牢房，那麼他將重獲自由，同時恢復他的爵位。但弟弟每天派人給羅奈爾得三世送去豐盛的美味佳餚，羅奈爾得三世根本禁不住美食的誘惑，每天仍大吃大喝，結果不但沒有減肥，反而變得更加肥胖了。最後，他被困死在連牢門都沒有鎖的牢房裡。哥哥的死在弟弟的意料之中，因為他很瞭解哥哥的秉性：缺乏自制力。

如果年輕人不會自制，就像被關在牢房中的羅奈爾得三世，永遠沒有出獄的一天。

一個人畢業後，開始進入社會，在成長、成熟到成功的道路上，一定會面臨各種各樣的事情，涉及自身的做人原則與道德底線，這就需要年輕人錘煉一顆堅定的心，同時，當出現很多誘惑時，更要有顆自律的心，不會因為這些誘惑而輕易改變自己，從而做出有違責任的事情。

一句話，能改變你的一生

一個人缺乏自制力，就像火車失去了操作桿和剎車，必然會「越軌」，甚至「翻車」。

年輕人可以暫時沒有權，也可以沒有錢，但是不能沒有自己的做人底線。做人一旦沒有了底線，就很容易被外在的物欲所左右，就很容易被別人牽著鼻子走路，自己的腦袋也成了「聾子的耳朵」——擺設。

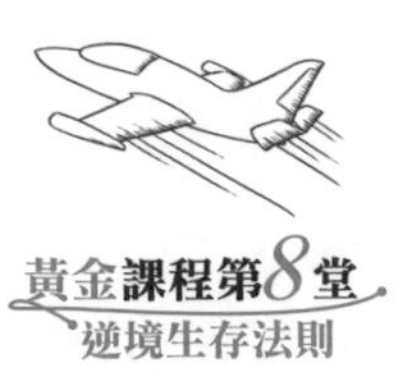

05 屈膝，是為了觸及更高的理想

一個剛剛步入社會開始工作的年輕人，最深刻的感觸莫過於所從事的工作太過平凡、所做的事情過於瑣碎。看著那些資歷比自己老的員工，整日悠閒得在那裡一杯茶一張報就是一天，你是不是會心生不平呢？

能做還不夠，肯做才是關鍵

你可能覺得成功遙不可及，然而，並不是這樣。想要成功其實很簡單，就看你願不願意在平凡的時候任勞任怨、蓄積力量，在自己飛上天空前蹲低，跳得更高更遠。

能力足夠勝任，是任何人應聘的前提條件。你具有的能力，決定了你能擔任的工作性質。「能把工作做好」是合格員工最基本的標準，「肯把工作做好」則是一種態度。一個職位，一般情況下都有很多的人能夠勝任，都具有做好這份工作的基本能力，然而，最終誰能把工作做得更好一些，就要看誰具有踏實肯做、苦於鑽研的工作態度了。

做別人不願做的事情

日本最成功的企業家之一松下幸之助說：「我小時候在學徒的七年當中，在老闆的教導之下，不得不勤勉從事學藝，也不知不覺地養成了勤勉的習性，所以在他人眼中視為辛苦困難的工作，我自己卻不覺得辛苦，甚至有人認為『太辛苦了』的工作，在我看來，只不過是再稍微努力一些而已，所以我與他人的看法，自然就有差異了。我的青年時代，始終一貫地被教導要勤勉努力，此乃人生之一大原則。事實上，在這個社會裡，有勤勉努力習性的人，不太會被人稱讚是尊貴或者偉大，也不會認為他很有價值，但是，我認為大家應該更加提升對具有這種良好習性者的評價，這樣才算真正對勤勉習性的價值有所認識。」

很多人的成功都是靠「肯做」獲得的。如果「能做」是一項工作的資格證，那麼「肯做」就是通行證。

二十世紀七〇年代初，美國麥當勞總公司看好臺灣市場。正式進軍臺灣之前，他們需要先培訓一批高階幹部，於是進行公開的招考甄選。由於要求的標準頗高，許多初出茅廬的青年企業家都未能通過。

經過多輪篩選，一位名叫韓定國的某公司經理脫穎而出。最後一輪面試前，麥當勞的總裁和韓定國夫婦談了三次，並且問了他一個出人意料的問題：「如果我們要你先去洗廁所，你會願意嗎？」韓定國還未及開口，一旁的韓太太便隨意答道：「我們家的廁所一向都是由他洗的。」總裁大喜，免去了最後的面試，當場拍板錄用了韓定國。

後來韓定國才知道，麥當勞訓練員工的第一堂課就是從洗廁所開始的，因為服務業的基本理論是「非以役人，乃役於人」，只有先從卑微的工作開始做起，才有可能瞭解「以客為尊」的道理。韓定國後來之所以能成為知名的企業家，就是因為他一開始就願意做別人不願做的事情。

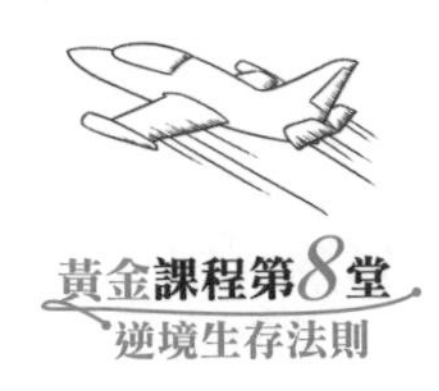

在能做的基礎上還要踏實肯做

艾科卡曾經是福特汽車公司的一位見習工程師，他靠自己的能力終於當上了福特公司的總經理。一九七八年七月十三日，有點得意忘形的艾科卡被妒火中燒的大老闆亨利·福特開除了。說起來，艾科卡已經在福特工作了三十二年，並當了八年的總經理，沒想到還是被毫不客氣地炒了魷魚。因此，艾科卡痛不欲生。

就在這時，艾科卡接受了一個新的挑戰——應聘到瀕臨破產的克萊斯勒汽車公司出任總經理。憑著自己的智慧、膽識和魅力，艾科卡大刀闊斧地對克萊斯勒進行了整頓、改革，然後舌戰國會議員，最終取得了巨額貸款，為企業重振雄風打下了堅實的基礎。

在艾科卡的主導下，克萊斯勒公司在最黑暗的日子裡推出了K型車的計畫，此計畫的成功令克萊斯勒起死回生，成為僅次於通用汽車公司、福特汽車公司的第三大汽車公司。一九八三年七月十三日，艾科卡把高達八·十三億美元的支票交到了銀行代表的手裡——至此，克萊斯勒還清了所有債務，而恰恰是三年前的這一天，亨利·福特開除了他。

對於又一次靠著踏實肯做的作風取得的不凡的成績，艾科卡深有感觸地說道：「奮勇向前，哪怕時運不濟；永不絕望，哪怕天崩地裂。」這句話也是他對自己再次由平凡到卓越這個過程的精煉總結。

要知道，在掌握了一定的能力之後，不驕不躁，踏實肯做，才能在平凡的崗位上有更大的作為。

一句話，能改變你的一生

「能做」只是工作的資格證，「肯做」才是工作的通行證。「能做」是你被企業選中的最基本要求，不能勝任誰會選你？「肯做」才是決定你日後表現的關鍵。

世界上「沒有隨隨便便的成功」，任何聲稱輕輕鬆鬆就能成功的宣傳都是一種欺騙。「成功」之「功」字可拆分為「工力」，即有「做工出力」的含義。一個人如果不能做一件事情，是讓人遺憾的；一個人如果具有做好事情的能力，卻不肯努力，那就是讓人鄙視的。

後記：
前輩不會告訴你的職場生存技巧
順利找到工作，成為職場新鮮人，你以為從此就可以高枕無憂？
當然不！除了工作守則，職場中還有許多潛規則，前輩不會主動說，但你一定要主動學！！

同學&同事，千萬別傻傻分不清楚

為何不能幫幫我？

還記得在學校時，同學就是最好的好戰友，舉凡考試考到哪一個章節、作業的資料該到哪裡找？甚至在老師點名時幫忙舉手這種「小事」都是舉手之勞，但是，千萬不要以為這種溫馨的情節可以延伸到職場上，否則你的期望可能會帶來更多失望。

進了職場，每個人每天都有分內的工作要做，而現代的企業也傾向責任制，工作要是沒做完，那可是要留下來加班的！在效率、成績掛帥的辦公室裡，可以說每一位同事都有屬於自己的戰爭要打，既是打仗，當然不可能還整天記掛著忘東忘西、成事不足的「老弱殘兵」，否則要不是拖垮了整體的工作進度，不然就是大家必須留下來陪你「義務上班」，這種事恐怕連你自己都不想做。所以在職場上，別人不可能處處幫你，也是情理之中的事；對自己的工作盡責到底、除非有必要否則盡量不要麻煩到他人，這才是一個成熟的人面對工作該有的表現。

朋友一生一起走？

學生時期，我們最珍惜的莫過於跟同學相處的時光，因為其中的歡笑淚水構成了我們的青春，也因為這個時期的我們在心理學發展上來講，是最容易受到同儕影響的時期，所以，回家後的時間彷彿變成了生活中的「支線」，對總是精力充沛的你們來說只是扮演可有可無的角色。

但奇怪的是，一進入職場，回家休息的時光瞬間一躍而升，成為生命中不可或缺的「主線」，你的所有個人興趣、嗜好、休閒和壞形象，只有在這短短的幾個小時內得以舒展。因此你會發現，同事各個超難約，因為他們在經過一天的疲勞轟炸、心酸肚內吞以後，精神值消耗得極快，下班時間一到只想手刀奔回家享受私人樂活時光。

常有人說：「出社會後很難交到真心的朋友。」倒不是說職場中真的天天都會上演爾虞我詐的戲碼，而是如果沒有下班後的私交，就無法真正了解這個人，所以要是你真的有幸在職場中找到了很好的朋友，在上班時間筋疲力盡後，還有跟他下班小約會的動力，那請務必好好珍惜喔！

為什麼要耍心機？

在學時期，除了競賽時爭那幾個名次的名額，否則大多數的時候，同學之間資源均分、機會平等，圖書館不會只給全校成績前３０名的學生進去，畢業旅行更不會規定只有

模範生可以參加；因此互相提攜、互相幫助成為我們學生時期的做人主軸，因為百利無一害，又可以幫自己贏得好人緣，何樂而不為？

但職場生態可就不是這麼平和的風景了。績效競賽前30%的同仁才可以出國旅遊、主管的空缺名額又少又難得一見等等，除此之外，也有很多企業主在選用人才時，不只會以實際表現為基準，還會摻雜個人主觀印象，導致僧多粥少的情況之外，同事們也得競競業業地在各種情境求表現，這時要點心機、人前人後兩面情，其實都是職場中很容易看到的現象。

雖然說，個人的修養可以決定自己在面對競爭時採取何種處事態度，但是也別忘了，適當的提防、留心也是很重要的工作能力，否則最後吃了悶虧，可就得不償失了。

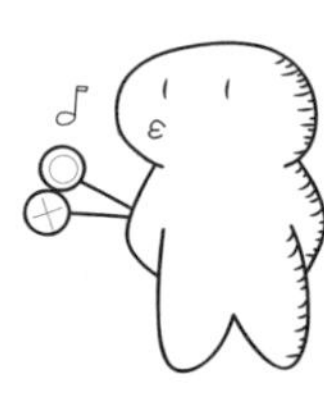

老師&老闆，搞錯回家吃自己

作業補交行不行？

「老師不好意思，我因為……，所以作業可能要晚一點給您……。」你對這句話，是不是有一種非常親切的熟悉感呢？的確，現在的大學教授幾乎都「佛心來著」，只要你有正當理由，晚一點交作業也無傷大雅，頂多被扣一些分數作為警惕，但基本不影響教授對內容的真正評價。

但請千萬要記住，職場上要交的「作業」可完全不是這麼一回事！這並不是主管刻意刁難你，或是老闆看你不順眼，而是因為職場上需繳交的東西往往有著時間限制。像是專案企劃稍晚一天，可能就趕不上競價提案；合約研擬稍晚一天，可能就使得客戶或廠商移情別戀，奔向競爭對手的懷抱，諸如此類的「趕工」天天都在上演，期限性的各種元素創造了公司大部分的營收，同時責任制的規範，也是因應著這種普遍的商業模式而產生。所以下次當你想要晚交作業，最好有十足的把握，確定不會影響到公司利益，否則跟營運數字過不去，就是跟你自己過不去囉！

我對您的說法有些疑問……

台灣的老師，常常認為學生對於學習不夠主動積極，所以當有一兩個「罕見」的學生彬彬有禮地，在課堂中提出自己的看法或發問，他們必定對你留下極正面、深刻的印象；一來是確定你有預習、思考，二來是能確定你的思辨能力不錯，可以對所接觸到的知識及時做出回應，這樣的學生深受到大部分老師的喜愛。

在職場中，大家都非常忙碌，更別說是日理萬機的大老闆，或是肩負來自高層龐大壓力的主管了。在職場中要問問題，或是提出自己的看法，請把握以下原則：第一，要懂得選時間，千萬別選在大家趕專案趕得昏天暗地時當個「問題製造者」；第二，要懂得留面子，千萬別當著眾人的面反駁你的上司，因為你的說法縱然是對的，但職場中還講究長幼尊卑的倫理，態度錯了，你說什麼都是錯的。

關於問問題，其實公司的文化不同就會產生很大的差別。例如新創公司規模小、制度新，大部分的問題都鼓勵討論，以激發出更好的結果；而外商公司，則是因為有著自由開放的基因，所以一般討論、發問都不會有太大的問題。由此可見，如果你本身是個自主意見很強的人，在決定開始職場菜鳥生涯時，除了本身興趣，不妨將公司文化也納入考量，不然有口難言，也是非常痛苦的呢！

請假又不會怎樣？

在學校時，我們付出金錢來學習，老師除了完成自己心中的使命感，另外現實的一面，他也是拿了我們的錢、受了家長的委託來監督我們成長跟學習，所以我們請假時，只需要對自己的學習進度與良心負責，因為老師並不會因為今天你不在而少上一個章節；期末考也不會因為你沒來考，而因此延期或停擺；但是一旦開始工作，你的請假心態就有必要做大幅度的修正。

一個新鮮人應徵時，大部分都會說出：「我一定會努力學習！以期盡快上手……」之類的諾言，但你看出來了嗎？這回的學習你不僅不用付學費，公司還要付你錢，所以除了你的工作成效要對公司負責之外，你的請假更是要給公司一個完整的配套跟交代。

勞資雙方應該是平等的，公司絕對不能剝奪你請假的權利，可是我想表明的是，因為你多少肩負著公司營運的任務在身，當然不能像學生時期想請假就請假；一個職務既然成立，就一定有它必須存在的理由，千萬不可以覺得自己只是一個新進小職員，就對責任掉以輕心；社會講究的是一群小小螺絲釘集體合作的力量，所以一定要重視自己存在的價值。

下課&下班，回家也算工作時間的延伸

學習進度到，萬事皆可拋？

學生時期，我們念書是為自己負責，念得多、考得好就念好一點的學校；念得少、考得差就念差一點的學校，縱使他人如何費盡唇舌、如何用心良苦，他們都不能幫我們過自己的人生，所以你的學習進度，其實完全有立場按照自己的步調或理想值來設定；下課後，本質上已獲得自由，剩下的就是看你還想付出多少努力了。

帶著工作回家做、週末假日還來公司加班，卻是某些上班族在真實人生中躲不掉的無奈。因為一來，工作是自己選的，所以你沒有立場逃避必須的加班；二來，責任制的業界生態，讓你不得不關注職責內發生的大小問題與臨時提案；第三，創造營收對公司來說天經地義，有些主管根本不會管你是休假還是上班，只要有工作，只求你隨傳隨到。

但就算你遇到的產業或雇主讓你下了班就能享受個人清淨，在競爭激烈的職場中，還是有許多人為了多一點加薪、晉升的機會，於是利用假日努力學習各種專業技能，以期有派上用場的一天。不過要記得，上進固然是好事，但絕對不要將全部的心力都圍著工作打轉，要是忽略了自己的生活品質，那就得不償失了。

下了班，你還是公司的一份子

念書時，我們時常會跟同學互相抱怨哪個老師機車、哪個學校的課程值得跨校選修、哪個社團有什麼有趣的活動等等，這類「情報交流」通常無傷大雅，我們透過這些交流拓展人際，並從各方資訊中擁有更多選擇的機會。

但進了職場，情報的交流就變成是一件異常敏感的事，更有公司會強加規定，只要是員工，不論層級大小、不論負責什麼業務，在下班以後的私人時間都不得接觸別的公司外派的工作，深怕員工一個不小心，就說出了有利於競爭對手的情報。

我曾經聽過一個例子，一個在公司中負責政府標案的企劃人員，因為曾跟別的公司做業務的朋友私下聊到標案的預算數字，競標當天不知怎麼回事，案子竟然就被朋友的公司以些微之差標下，那次事件過後，還聽說朋友被加官晉爵，弄得他相當傻眼，兩人的友誼也宣告結束。

這雖然是其中一個較為誇張的案例，但是這也給了我們一個警惕，踏進一個產業、進入一家公司，我們就需具備為其商業行為保密的職業道德，而這樣的任務不論上下班皆須執行，因為商場競爭激烈，初出茅廬的你根本不會知道，對手可以對握有的資料進行怎樣的推測、進行怎樣的操作，所以保險起見，下班後雖可以抱怨，卻還是盡量不要跟其他人談到工作內容的細節才好喔！

被動&自動，學習的積極性決定你的未來

不發問，就給我做到好！

台灣學子多半有不喜歡主動公開發問的習性，若在學業上有不懂的地方，你或許會先行摸索一番，真的窮途末路了，才會在下課時間跟同學求救。但要記得，職場中的同事各個都很忙，如果你是新人，很多事物都是第一次接觸，那麼你最好在前輩教導你的第一時間，就把該次的疑問一次勇敢地問完，不然你若單純應允，卻根本丈二金剛摸不著頭緒，事後再前去討教，忙碌的前輩或許根本也記不得當初是怎麼教你的，不然就是發現你根本沒走在工作進度上，而先換來一陣破口大罵！

而另外一種學生，則是從求學時期起，面對不擅長的科目就「隨他去」，這種看似豁達的心態用在職場上，可是絕對會讓你慘兮兮！

在職場上，你所要負責的工作項目就是這些。今天主管請你用EXCEL檔做各月盤點表格給他，他就不可能接受你用PPT做一份盤點物品的介紹；今天老闆請你研究創意市集的活動企劃，你也不可能交一份海洋生物研究給他。總之，工作場合可以接受「不懂」，但不能接受「不主動詢問」，進入職場你就要習慣跟時間賽跑，而唯有主動學習，才可以讓你盡快熟悉產業生態，並擁有更多技能來為工作加分。

結果論才是王道！

在學期間，老師常常告訴我們一個觀念：「不管結果如何，過程最重要！」很可惜，這句話只在對自己負責時適用；一旦進了公司，你要為業績負責、為團隊負責，一切都以「成效」作為最終的評判標準，此時，自動自發地找出公司所期望達到的結果，並嘗試用各種方法去實踐它，就變成了你是否能高人一等的關鍵。

如果單純被動地以「明天要考第一課，今天才念第一課」、「一個口令、一個動作」的心態工作，完全不會自主思考，你的定位很容易淪為不會思考的基層勞動者，不僅很容易在彼此競爭時受到有心人士操弄，也很容易因為照做了上級的一個錯誤指示，而讓自己受到連帶追究，惹上不必要的麻煩。

因此當你進入一個嶄新的工作環境，首要之務就是要了解上司希望自己能達到什麼目標、對自己有什麼要求。先求達標，再求超標，如此才能成為一位公司眼中標準的的好員工。

察言觀色是生存必備的技能

每到新的學期，我們便會收到一批新的教科書，而無論延伸或加強補充，我們本學年

度必須學會的東西大致上全在這裡了；但出了社會，你的學習項目必須由你自己來摸索、學習進程必須由你自己來規劃，因為唯有自己才知道自己在哪些方面有所不足，此時，察言觀色、耳聽八方就是非常重要的生存技能。

你得學會眼明手快，抓緊機會用你的五感來學習。例如新進一家公司，前輩可能會教你企劃案的寫作元素，卻沒告訴你上司偏愛哪種呈現方式；同事只告訴你上司不好相處，卻沒確切地告訴你他的地雷何在，這些都是要靠自己默默觀察，小心實驗而來的。

而這樣的技能，對待職場上的相關人士皆一律適用。

在學時若逢考試，老師會把鄰座同學的位子隔開；而撰寫論文時，更是得憑一己之力獨自完成！但進入職場後可不同，每個人都是一個小齒輪，需彼此協調才能讓機器（公司）順利運作。而除了跟自己的同事合作之外，跨界間的共市，在現代更是一種普遍的行銷手段，人際關係的重要性顯得更為突出，而我們都知道，良好的人際交流，就是來自於主動施予的善意與細心。

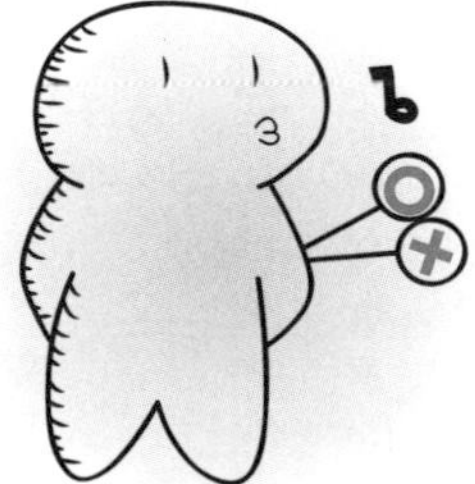

〔跋〕拒絕機械式模仿；活出生命真正的精彩！

《畢業五年決定你的一生》第一版自二〇〇九年底面世以來持續發酵，受到了廣大讀者的喜愛，這種共鳴是對我最大的回報。

在某個年輕人最喜愛的網站上，有人把《畢業五年決定你的一生》書裡的精華提煉了出來組成一篇文章並四處轉載，並給予極好的評價：「大家千萬不要錯過這篇文章，能看到這篇文章是一種幸運，真的受益匪淺，對我有很大啟迪，這篇文章將會改變我的一生，真的太好了，希望與有緣人分享，也希望對有緣人有所幫助！看完之後有種相見恨晚的感覺，特別激動，希望大家好好地珍藏這篇文章，相信多年以後，再來看這篇文章，一定有不同的感覺。」

很多所大學在畢業典禮上，也把本書作為禮物送給畢業生，以激勵他們好好努力、好好成長。人力銀行也曾經因為這本書聯繫我，希望我為他們針對社會新鮮人職業成長所舉辦的講座，擔任講者。

更重要的是，我收到了無數年輕讀者的電子郵件，他們表達了剛畢業這幾年面臨的困惑，有關於職業選擇的，有關於性格定位的，有關於人際交往的，都是這個階段的年輕人常遇到的問題。

就這麼一本普通記錄心靈軌跡的書能引發如此共鳴，在精神世界普遍疲軟的今天，多少有點出乎我的意料。但似乎又在情理之中，這正如人缺少什麼東西心必嚮往之，心靈成長正是當下物質生活極為豐富的社會人們所缺少的。

由此，我覺得我身上的責任彷彿越來越重。

這個社會飛速地發展，快得我們有時都跟不上，也引發了不少問題。企業招不到人才，學生找不到工作，這種就業現象就是目前最嚴重的問題之一。

左手是用人單位抱怨招不到貨真價實的人才，右手是大學生抱怨不停地實習卻找不到工作。左手右手同在努力，可始終無法握在一起，彼此都只能在試探中捕捉對方的氣息。究其原因，也許就錯在「自顧自」這三個字，錯在我們想給的、拼命積攢的，其實並不是用人單位想要的。我們常常在自顧自地揣測，揣測用人單位需要什麼，揣測用何種方式才能到達速成。但選擇速成的同時，你就選擇了不停地機械式模仿，你也就在漸漸遠離大學生活真正的精彩。

那麼，如何讓剛畢業的年輕人過好自己的生活，擁有自己的一片精彩天空；同時又能在畢業後成功地找到工作，用人單位與大學畢業生不再互相脫節，不再「對不上眼」？我想，這就需要大學以及社會共同提供更多相關的指導與諮詢機構，也需要有更多關於大學生活規劃的讀物出現。

在有這些思考的基礎上，也因為背負著一種「鐵肩擔道義」的使命感，我在這一年裡，在原有思想的基礎上對「畢業五年」這個層面有了更深的理解。與此同時，這幾年裡，我在職業生涯規劃的研究領域也有了一些新思想、新內容的梳理。

剛好，一些從事人力資源和職業規劃的同行來信表示，此書不僅適合個人心靈修煉閱讀，也適合作為各大企業單位新員工的培訓讀物，和大學院校贈送給畢業生的禮物，所以，能否在內容上和形式上有所加強呢？因此，一方面應廣大讀者的需求，一方面出自對本書內容進一步修補和完善的初衷，便有了《畢業五年決定你的一生》（暢銷修訂版）的編寫與出版。

當然，每個人的職業生涯都是不一樣的，不能說戴晨志的職業模式就是可以完全複製的，也不能說李開復的人生選擇就是可以照搬不誤的，更不能說林少波的成長之路就是完全正確的。本書只是提供了一種思路，幫助大家的思路更加清晰，啟發大家更清楚知道自己以後要什麼。至於你自己怎麼做，這個世界上沒有一本書是專門為你量身訂製的，沒有一本書是萬能的，而且指望花個兩三百塊錢買本書就能改變自己的命運，這個想法也太不實際。因此。我們更需要的是要一種過程，一種讓自己成長的過程，盡心盡力、全心全意去做了，其他一切交給上帝最好。

感謝凱信企管編輯群，是他們作為出版界的伯樂，策劃了《畢業五年決定你的一生》的初版與改版。

感謝廣大讀者對我的厚愛。歡迎與我交流。

林少波 謹識

心態修煉小筆記

看了這些實用的建議，初出社會的你有沒有什麼想法呢？快點把它記下來吧！

活得好 *50*

畢業五年決定你的一生【暢銷修訂版】

帶領你衝破謀職難關，打破「畢業等於失業」的迷思！

作　者　林少波
顧　問　曾文旭
總 編 輯　黃若璇
編輯總監　耿文國、吳國鏞
特約編輯　林旻豫
美術編輯　李澤恩
法律顧問　北辰著作權事務所　蕭雄淋律師、嚴裕欽律師

印　製　世和印製企業有限公司
四　版　2016 年 6 月
出　版　凱信企業集團-凱信企業管理顧問有限公司
電　話　（02）2752-5618
傳　真　（02）2752-5619
地　址　106 台北市大安區忠孝東路四段 250 號 11 樓之 1

定　價　新台幣 320元 / 港幣 107 元
產品內容　1書

總 經 銷　商流文化事業有限公司
地　址　235 新北市中和區中正路 752 號 8 樓
電　話　（02）2228-8841
傳　真　（02）2228-6939

港澳地區總經銷　和平圖書有限公司
地　址　香港柴灣嘉業街 12 號百樂門大廈 17 樓
電　話　（852）2804-6687
傳　真　（852）2804-6409

國家圖書館出版品預行編目資料

畢業五年決定你的一生 / 林少波作.
-- 四版. -- 臺北市 : 凱信企管顧問,
2016.06
面； 公分
ISBN 978-986-5916-80-0（平裝）

1.職場成功法 2.生涯規劃

494.35　　105007759

讀者回函卡

親愛的讀者，感謝您購買《畢業五年決定你的一生[暢銷修訂版]》歡迎您針對本書內容填寫讀者回函卡，以作為我們日後出版方向的參考，我們將不定期寄發新書相關活動資訊給您，並持續為出版膾炙人口的好書努力。再次感謝您的支持！祝福您有個美好的閱讀時光！

您的姓名：__________　　聯絡電話：__________

傳　　真：__________　　e-mail：__________

出生日期：______年______月______日

您的學歷：□高中及高中以下 □專科與大學 □研究所以上

您的職業：□製造業 □銷售業 □金融業 □資訊業 □學生
□大眾傳播 □自由業 □服務業 □軍警 □公務員 □教職員 □其他

您在何處購得本書：□金石堂書店 □誠品書店 □大賣場 □一般門市 □網路書店
□K-shop

您為何購買本書（可複選）：

□親朋好友介紹 □內容吸引人 □主題特別 □促銷活動 □作者名氣

□書名 □封面設計 □整體包裝 □網際網路：網址__________

□其他__________

____

您對這本書的評價：□很好 □好 □普通 □差

您會推薦本書給朋友嗎？□會 □不會 □沒意見

您最想看哪些作者、題材的書：__________

____

____

您最感到頭痛的生活問題是什麼：__________

____

____

給予我們的建議：__________

____

____

____

請沿線剪下來

請貼郵票

106
台北市大安區忠孝東路4段250號11樓之1
凱信企業管理顧問有限公司 收
電話：02-6636-8398

請沿線剪下來

請沿線反折、裝訂並寄回本公司

寄件人：

地址：□□□

凱信企管

用對的方法充實自己，
讓人生變得更美好！